HANGJIA DAINIXUAN 行家带你选

白釉画花瓷

姚江波 ／ 著

中国林业出版社

图书在版编目 (CIP) 数据

　　白釉画花瓷／姚江波著．－北京：中国林业出版社，2019.1
　　（行家带你选）
　　ISBN 978-7-5038-9885-3

　　I.①白… II.①姚… III.①彩绘－瓷器（考古）－鉴定－中国 IV.① K876.34

　　中国版本图书馆 CIP 数据核字 (2018) 第 279177 号

策划编辑　徐小英
责任编辑　张　璠　赵　芳
美术编辑　赵　芳　张　璠

出　　版　中国林业出版社(100009 北京西城区刘海胡同 7 号)
　　　　　　http://lycb.forestry.gov.cn
　　　　　　E-mail:forestbook@163.com 电话：(010)83143515
发　　行　中国林业出版社
设计制作　北京捷艺轩彩印制版技术有限公司
印　　刷　北京中科印刷有限公司
版　　次　2019 年 1 月第 1 版
印　　次　2019 年 1 月第 1 次
开　　本　185mm×245mm
字　　数　203 千字（插图约 360 幅）
印　　张　12
定　　价　75.00 元

白釉画花鸟纹图案·宋代

白釉画花鸟纹图案·宋代

白釉画花瓷碗（三维复原色彩图）·宋代

白釉画花瓷碗·明代

◎ 前 言

　　白釉画花瓷器是宋元名瓷中百姓真正在使用的瓷器。白釉画花，顾名思义就是在白色的胎体之上用黑彩绘画，或在白色的化妆土上用黑彩来进行绘画。而黑彩所用的原料也是一种化妆土。白釉画花瓷器在纹饰上实际上是使用了两种不同色彩的化妆土在绘制纹饰，加之绘画的方式比传统刻划纹要方便快捷，这极大地降低了纹饰所需要的成本，因此，白釉画花瓷器在宋元时期大规模的流行，以极低的价格"通销天下"，成为光辉灿烂的宋元名瓷的重要品类。白釉画花瓷器是中国古代瓷器达到鼎盛时期的一朵奇葩，是磁州窑的伟大创举。历代文献对于磁州窑多有赞许。明曹昭《格古要论》述"古磁器……好者与定相类，但无泪痕，亦有划花、锈花，素者高于定器，新者不足论"。白釉画花瓷器用浓重的黑彩在洁白犹如宣纸的化妆土上作画，宣泄着最底层百姓质朴的情怀。常见的纹饰题材有：花卉、婴戏、诗词、曲牌、花鸟虫鱼、放鸭、放鹌鹑、龙纹、逗鸟、蝴蝶、骑马、钓鱼、历史故事、民间传说、民谚，以及抒发自己情感的寄语等。

　　并将书法艺术引入到白釉画花瓷器之上，诗、书、画并举，正面的教化寓意很强。在纹饰风格上以疏朗为主，画风燎原，活泼可爱，线条流畅，刚劲挺拔，挥洒自如，犹如涓涓溪流奔腾而下。磁州窑白釉画花瓷器不断冲击着传统的纹饰观念，为青花瓷和颜色釉瓷器之上大量纹饰的出现起到了不可替代的作用。磁州窑是宋元、明清时期影响较大的民

白釉画花瓷罐·明代

白釉画花鸟纹·宋代

窑场。其窑场在河北磁县境内，以观台、彭城镇一带窑口最为密集，然后才向外扩散。烧造年代从北宋直至元代，明清时期亦有烧造，并形成了规模庞大的磁州窑系，以河北磁县为中心向周边急剧扩散，最终至大江南北，大河上下，如陕西的耀州窑，山西的介休窑、霍县窑、大同窑，河南的鹤壁窑、汤阴窑等诸多窑口都有烧造白釉画花风格的瓷器，影响十分深远。直到现代，依然还可以看到白釉画花瓷器的元素在瓷器上出现，可谓是千年赞誉。总之，古代劳动人民的生活被白釉画花瓷器表现得淋漓尽致，纤毫毕现。白釉画花瓷器虽为民窑，但胜似名门。

白釉画花瓷器由于是人们日常生活中的用具，涉及的器物造型众多，如碗、盘、碟、盆、灯、枕、壶、盒、瓶、坛等都有见，画风疏朗，清新雅致，深受人们喜爱，精品力作犹如星河灿烂，加之存世量较大，所以历代都被人们所收藏，为收藏者所热捧。但在暴利的驱使下，作伪的白釉画花瓷器经常有见，特别是 20 世纪 80 年代以后，大量的伪器充斥着市场，一时间，白釉画花瓷器真伪难辨。本书从文物鉴定的角度出发，力求使错综复杂的问题简单化，直述鉴定要点，对白釉画花瓷器的纹饰、胎体、釉质、窑口，以及口部、唇部、肩部、腹部、底部、足部等进行解析，将众多的鉴定要点集聚在一起，文字简练，兼顾学术性、常识性、趣味性，过于专业、不可操作、与收藏者无关的内容已回避。当读者读了本书以后，可以将收藏的白釉画花瓷器与本书所述鉴定要点进行对比，去鉴别古瓷器之真假、评估古瓷器之价值，力求做到使藏友读后由外行变成内行。以上是本书所要坚持的，但一种信念再强烈，也不免会有缺陷，不妥之处，希望大家提出批评，同时给予无私的帮助。

姚江波

2018 年 12 月

◎ 目 录

白釉黑花美人瓷枕·宋代

白釉画花瓷器标本·宋代

白釉画花瓷碗·明代

磁州窑白釉画花瓷碗·明代

磁州窑白釉画花诗词枕·宋代

白釉画花瓷枕标本·宋代

白釉画花瓷瓶·辽代

第一章 综 述

第一节 概 述

一、数 量

白釉画花瓷器是人们日常生活中的用具，墓葬和遗址当中都有见（图1-1），传世品亦有见（图1-2），在总量上有一定的量，规模巨大，为中国古代瓷器中的重要品类之一。

图 1-2 磁州窑白釉画花瓷罐·辽代

图 1-1 白釉画花双系瓶·辽代

图 1-3 白釉画花瓷枕标本·宋代

二、地域

　　白釉画花瓷器在地域上特征不是很明显，其销售在宋、金、元、明、清等时代广及全国各个地区（图 1-3）。

三、墓葬

　　白釉画花瓷器主要以墓葬出土为主（图 1-4），出土数量多为一到两件，但一般的墓葬当中都有可能随葬白釉画花瓷器，所以在总体上有一定的量，规模巨大。出土器物完整器皿比较多，保存较为完好。

四、窑址

　　白釉画花瓷器在窑址上出土数量非常多，可以说是墓葬的数十倍。但是窑址之上的白釉画花瓷器基本是残缺的器皿（图 1-5），完整器很少见。因为白釉画花瓷器是民窑产品，烧造它的窑场多数是民间窑场，生存第一，所以在当时窑场上的成品都销售出去了，留下的多数是一些残件。

五、城址

　　城址出土的白釉画花瓷器数量众多（图 1-6），比窑址和墓葬都要丰富。这与白釉画花瓷器日用器的地位关系密切。大量的成品都销售了出去，而销售的目的地则是城市，这是今天我们在城址上可以大量看到白釉画花瓷器的原因。一座古城内往往可以发现成千上万件的白釉画花瓷器，但完整器很少见。

图 1-4 白釉画花鸟纹枕面标本·元明时期

图 1-5 白釉画花瓷器标本·宋代

图 1-6 磁州窑白釉画花瓷器标本·宋代

图 1-7 略有变形的白釉画花瓷碗·明代

六、传世品

白釉画花瓷器延续时代比较长，从宋元直至明清时期。而明清时期由于距离现在时间比较近，又加之白釉画花瓷器是民窑产品，所以有很多这一时期的白釉画花瓷器都是传世品，在总量上有一定的量（图 1-7）。

七、普通瓷器

白釉画花瓷器当中很少见到精美绝伦之器，这与其浓郁的民窑窑场地位有关，基本上是以普通瓷器为显著特征，普通瓷器占到整个白釉画花瓷器的 80% 以上（图 1-8），占据着绝对的主流地位。

八、粗糙瓷器

白釉画花瓷器当中的粗糙瓷器有见（图 1-9），墓葬和遗址当中都有见，数量从一件至数十件不等，在总量上有一定的量。这一点应该很好理解，因为它显然是契合了白釉画花瓷器民间窑场的特征。

图 1-8 白釉画花瓷器标本·宋代

图 1-9 较粗白釉画花瓷器·宋代

图 1-11 普通白釉画花瓷碗·明代

第二节 特征鉴定

一、品 相

白釉画花瓷器距离我们今天时间跨度比较长，再加之是民间窑场所烧造，在品相上参差不齐，今天我们所看到的白釉画花瓷器既有精绝之器（图 1-10），更有普通甚至是粗糙的瓷器（图 1-11），这与其民窑性质有密切关联。总之，品相佳的白釉画花瓷器有见，但数量很少，多出土于墓葬当中，遗址中很少见。由此可见，白釉画花瓷器在品相上以精致瓷器为主。从时代上看，白釉画花瓷器精品以宋代为最，造型隽永；金元时期略显粗犷；明清时期又略显拘谨，可见在品相上白釉画花瓷器主要应该以宋代为显著特征。

图 1-10 完好无损白釉画花瓷碗·宋代

二、胎 色

白釉画花瓷器各种胎色都有见，如灰黄胎、白胎、橙色胎、褐胎、黄胎、红胎、灰胎等都有见（图 1-12），可见种类还是比较丰富。但从数量上看，白釉画花瓷器在胎色上却有很大区别。从窑口上看，白釉画花瓷器在胎色上并没有表现出过于复杂的特征。从时代上看，不同时代的白釉画花瓷器在胎色上表现得也不是很明显，但总的趋势是纯正的色彩少，相互融合的色彩多（图 1-13），如灰黄、灰黑、灰褐等衍生性色彩都比较常见。总的来看，白釉画花瓷器在胎色上表现出了较强的复杂性。

图 1-13 胎色不是很纯正白釉画花瓷器标本·宋代

图 1-12 灰胎白釉画花瓷器标本·宋代

三、釉　色

　　白釉画花瓷器在釉色上并不都是单纯白色，而是夹杂着诸多的衍生性色彩，如雪白、纯白、灰白、鸡骨白、乳浊白、象牙白、猪油白等釉色都有见（图1-14）。但以上色彩显然不是白釉画花釉色的终结，而是继续衍生，如白釉泛黑、白釉泛黄、白中泛青、白中微泛青、白中泛青灰等都有见。由此可见，其在釉质色彩上的繁复性，同时也可以看到其浓郁的民窑气息。但这些色彩通常都是表征性的，并非真正如同邢窑白瓷中的雪白釉色一样，而且这些特殊的釉色也比较少见。如鸡骨白只能说是偶见；乳白釉有见；象牙白釉比较常见；猪油白也只能说是偶见等。从时代上看，这些釉色反映了不同时代出土的白釉画花瓷器在精致程度上的异同。如纯白釉的瓷器多为精致瓷器；而白釉泛黑的则表现出较为粗糙性。本书将从多个方面来揭示白釉画花瓷器的釉色，并设计了大量图文的互动，进行详细的论述。希望能够使读者游刃有余地进行对比鉴定。

图1-14　色彩较为纯正白釉画花瓷器标本·宋代

四、窑 口

白釉画花瓷器在窑口上具有鲜明的特征，以磁州窑烧造为主（图1-15）。当然磁州窑并不是专一烧造白釉画花瓷器的窑场，白釉画花只不过是其众多产品中的一个重要品种而已。但显然磁州窑烧制出了最为精美绝伦的白釉画花瓷器，引领白釉画花瓷器发展方向。因此，多数白釉画花瓷器具有磁州窑风格。磁州窑白釉画花瓷器自北宋时期烧造成功，历经宋、元、明、清等历史时期都深受人们喜爱。宋代磁州窑在烧造上达至巅峰状态；元代开始略有衰落，但这种衰落并不明显；明清时期依然有烧造（图1-16），只是由于青花瓷的兴起，在数量上略有下降而已。

磁州窑的窑址在今天河北省磁县境内，以观台镇、彭城镇为中心，并以此为中心向外扩散，窑址广及河南、山西等地，影响至大河上下，大江南北，地域上空前广大。显然形成了巨大窑系，如河北定窑，河南汤阴窑、鹤壁窑、郏县窑、禹县扒村窑，山西霍县窑、介休窑、浑源窑、大同窑，陕西铜川窑等（图1-17），都大量有烧造。磁州窑白釉画花瓷器与其他窑址烧造的瓷器品种在诸多方面有着异曲同工之妙。我们在鉴定时应注意相互之间借鉴。

图 1-15 磁州窑白釉画花瓷器标本·明清时期

图 1-17 白釉画花瓷器标本·宋代

图 1-16 磁州窑风格白釉画花瓷器标本·明代

图 1-18 白釉画花瓷碗标本·明代

五、器 形

　　白釉画花瓷器在器物造型上比较丰富（图 1-18），几乎涉及到了人们日常生活当中的各种器物造型，这与其浓郁的民窑气息关系密切。但白釉画花瓷器在器物造型上多少与窑口关系密切。下面，我们来随意看几则实例。

图 1-19 宋代白釉画花瓷碗标本·宋代

图 1-20 宋代白釉画花瓷枕标本·宋代

图 1-21 磁州窑白釉画花瓷碗标本·宋元时期

（1）宋代磁州窑：常见的器物造型主要有白地黑花碗、白地黑花盘、白地黑花碟、白地黑花杯、白地黑花瓶、白地黑花壶、白地黑花罐、白地黑花坛、白地黑花尊、白地黑花钵、白地黑花盒、白地黑花枕、白地黑花灯、白地黑花香炉、白地黑花洗、白地黑花盆、白地黑花奁等（图 1-19）。

（2）宋代介休窑：常见的器物造型主要有白地黑花碗、白地黑花盘、白地黑花碟、白地黑花枕、白地黑花灯、白地黑花注子、白地黑花壶、白地黑花罐等（图 1-20）。

（3）金代定窑：常见的器物造型主要有白地黑花瓷碗、白地黑花瓷盘、白地黑花瓷碟、白地黑花瓷杯、白地黑花瓷盏、白地黑花瓷盏托、白地黑花瓷盆、白地黑花瓷坛、白地黑花瓷洗、白地黑花瓷香炉、白地黑花瓷瓶、白地黑花瓷壶、白地黑花瓷罐、白地黑花瓷净瓶、白地黑花瓷薰炉等。

由此可见，其显著的特征是主流窑场造型丰富，如磁州窑等（图 1-21）；而非主流窑场在造型上数量比较少见，如介休窑等；而较大的窑系窑场在烧造器物造型上种类也比较多，如定窑等。这些特征在鉴定时我们要注意分辨。

图 1-23　"山高怎隔思乡梦"白釉画花瓷枕·宋代

六、功　能

　　白釉画花瓷器在功能上的特征十分明确，主要是以实用的功能为主（图 1-22），是老百姓在日常生活当中真正在使用着的器皿，因此，实用是其生存的需要。但白釉画花瓷器并非是了无情趣，而是力求最大限度地与陈设、装饰的功能相结合。如白釉画花碗盘等器皿在做为进食器的同时，我们的视线可以看到燎原的纹饰，以及用隽永的造型为美等（图 1-23）。另外，还着重于诗书画的结合，或者是单独的文字用于装饰，如一些瓷枕上的文字足以宣泄人们的各种思想，这些都使得白釉画花瓷器造型隽永，雕刻凝炼，精美绝伦。由此可见，白釉画花瓷器在功能上的特征是复杂的，可以说在不同时代、精致程度、以及窑口等诸多条件的限制下存在。本书试析了不同条件下的白釉画花瓷器功能，相信会对读者有所帮助。

图 1-22　白釉画花瓷碗·宋代

第二章 胎 质

第一节 胎色鉴定

　　白釉画花瓷器在胎色上具有鲜明特征（图2-1），常见的主要有白色、灰白、青色、灰色、褐色、青灰、红褐、砖红、深灰、暗红、浅褐、灰褐、黄褐、灰黄、橙黄等胎色。由此可见，白釉画花瓷器在胎色种类上十分丰富，组合也比较复杂，单色和复色都有，并出现了众多的衍生色彩。

　　白釉画花瓷器在胎色上具有明显的相近和相异性的特征，在相近性上特征十分鲜明，如灰黄、橙色、砖红、红褐等常见（图2-2）。由上可见，白釉画花瓷器在胎色上存在着一定程度的相近性，这与其民间窑场性质有着密切的关联。从胎色上看，这几种显然多数不属于高岭土料，而属于黏土和掺合料的色彩。从差异性上看也比较大，如白胎、青胎、灰胎、红胎等。观察这些色彩，白色和青色之间色彩几乎是对立的。但从实际发掘的情况来看，这些差异性色彩在数量上与相近色相比非常少见。

图 2-1 白胎白釉画花瓷器标本·明代

图 2-2 白褐胎白釉画花瓷器·明代

　　总之，从发掘情况来看，白釉画花瓷器胎色众多，而且存在着很多复杂的问题，包括色彩的渐变性、组合方式、衍生色彩等。而传统的作伪者不太懂这些，往往将白釉画花瓷器胎体做成了各种色彩的集合体，或者是纯色，而这恰恰就是我们鉴定白釉画花瓷器的重要依据。有的时候，仅凭借这一点我们就可以判定一件器物的真伪。显然胎色对于白釉画花瓷器的鉴定具有重要的作用，可以揭示出众多的鉴定依据，帮助我们断时代、辨真伪、评价值。下面我们重点来看一下。

一、白　胎

　　（1）从白胎上鉴定（图2-3）白胎从颜色类别上看属单色胎范畴，没有复色的存在，色彩稳定，多指纯白色的胎体。宋、元、明、清时期，真正意义上的纯正白胎为胎色的白釉画花瓷器数量很少，只在少量的精品瓷器之上有见（图2-4）。相比较而言，数量上在宋代略多。

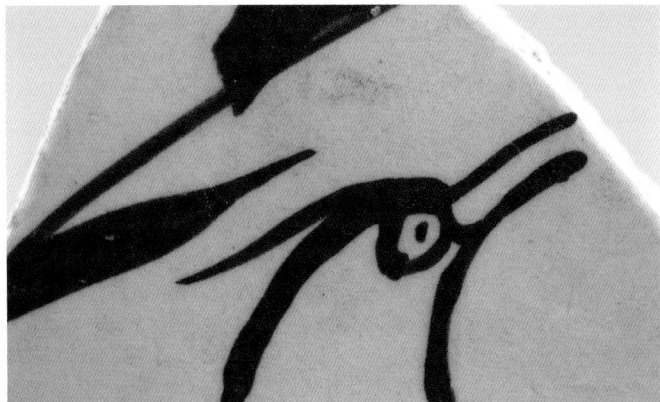

图 2-4 白胎白釉画花鸟纹图案·宋代

图 2-3 白胎白釉画花鸟纹图案·宋代

（2）从白褐胎上鉴定：（图 2-5）从色彩类别上看，白褐胎显然属复色，为白褐两种色彩的结合体，也可以说是在以白色为基调的基础上衍生出的色彩。不过从色彩自然形成的规律来看，一般情况下白色向灰色转化的可能性较大，转向褐色的情况不是很多。事实的确是这样的，在宋元、明清时期的白釉画花瓷器中，白褐的胎体不是很常见，可以说只是偶见。但这种色彩对于后世的影响很大。

图 2-5 白褐胎白釉画花瓷器标本·明代

图 2-6 白胎泛黄白釉画花瓷器标本·明代

（3）从白胎泛黄上鉴定：白胎泛黄从色彩类别上看是介于单色和复色之间的一种色彩，它的色彩本质还是白色，只是在白色的胎体当中微闪烁着黄釉。具体情况不是太一致，有些看起来相当严重；有些只是微微泛黄。从色彩上看不是很稳定，显然还未形成衍生性的色彩。从原料上看，白胎泛黄白釉画花瓷器在来料上以精致为主（图2-6），粗糙的瓷器比较少见。从淘洗上看，绝大部分十分精致，偶见有粗糙者。胎体上有杂质的情况也很少。不过白胎泛黄釉的白釉画花瓷器在数量上并不占优势，宋元时期基本上很少见到，明清时期有见（图2-7），但数量也不是很多，远未形成一种流行的趋势。

图 2-7 白胎泛黄白釉画花瓷器标本·明代

二、黄　胎

（1）从淡黄胎上鉴定：淡黄胎属于单色胎的范畴，淡淡的黄胎色彩显得十分刺眼，这类白釉画花瓷器在发现时总能给人以这样的感觉（图2-8）。淡黄色胎的白釉画花瓷器在色泽上已经较为稳定，几乎不见串色的现象，是一种十分成熟的胎色。不过淡黄色胎体的白釉画花瓷器在宋元时期十分少见，几乎可以说是不见，直至元明时期在一些少量的白釉画花瓷器上出现。但在作伪的宋元白釉画花瓷器中却有这种淡黄胎的出现，而且，在淡黄色上不是很稳定。这类胎体的白釉画花瓷器显然在历史上是不存在的，都是现代的一些仿品。

图 2-8 淡黄胎白釉画花瓷器标本·金代

图 2-9 黄白胎白釉画花瓷器标本·元代

（2）从黄白胎上鉴定：（图 2-9）黄白色是黄色和白色两种色彩的融合，但主要还是以黄色胎为主体，在黄色为基调的基础上衍生出来的色彩，黄白胎白釉画花瓷器在宋元、明清时期都十分流行，呈色稳定，是黄胎类白釉画花瓷器在胎色上的重要色彩之一。不过，从时代上来看，宋元时期这种胎体的白釉画花瓷器数量很少，基本不见；金代也很少见；到了明清时期，黄白胎的白釉画花瓷器在数量上有所增加，出现了相当多黄白胎的白釉画花瓷器（图 2-10）。由上可见，黄白胎的白釉画花瓷器主要是在元明清时期较为流行，而在其他时代显然还不是很流行。这从一个侧面说明了白釉画花瓷器在胎色多样化的程度上已经较为复杂化。

从窑口上看，黄白胎白釉画花瓷器的特征不是很明显，但如果笼统来看，多是以北方窑口为多。我们如果想找一则黄白胎的白釉画花瓷器例子，在北方窑口十分容易见到。当然，在南方窑口这类黄白胎的白釉画花瓷器也有见（图 2-11），只是在数量上不及北方地区。这与该地区瓷土中微量矿物的含量等因素有关。

图 2-10 黄白胎白釉画花瓷器标本·明代

图 2-11 黄白胎白釉画花瓷器标本·元代

图 2-12 黄褐胎白釉画花瓷器标本·明代

　　从粗糙特征上看，黄白胎的白釉画花瓷器与其精致程度似乎并不存在密切关联。因为，从发掘上看，黄白胎的白釉画花瓷器在胎体上较为粗糙，整个瓷器看起来也是如此，但有些胎体则是十分细腻，瓷器也较为精致，所以二者之间并不存在过多的辨证关系。

　　总之，黄白胎白釉画花瓷器在元明清时期的兴起是一个不容争辩的事实，而且对于后世的影响极大。直到现在，这种黄白胎的瓷器还经常有见。黄白胎成为白釉画花瓷器胎体色彩的重要组成部分。

　　（3）从黄褐胎上鉴定：黄褐胎的白釉画花瓷器（图 2-12），在墓葬和遗址当中都有见。黄褐胎也是一种复色，黄褐两种色彩完美地融合在一起。从色彩的稳定程度上看，黄褐色胎体在色彩上已经基本稳定（图 2-13），很少见到有串色和偏色的现象。从粗糙程度上看，一般黄褐胎的白釉画花瓷器在胎体上是粗糙与细腻并存，多数胎体十分细腻，在胎体上很少见到大的颗粒状的杂质，但也有一部分看起来较为粗糙，胎体杂质较为清晰。但从总体上来看，这一时期黄褐胎白釉画花瓷器在胎体上有向细腻倾斜的趋势。

图 2-13 黄褐胎白釉画花瓷器标本·明代

图 2-14 黄褐胎白釉画花瓷器标本·明代

图 2-16 黄褐胎白釉画花瓷器标本·明代

　　从原料的使用上看，黄褐的呈色从理论上讲可以是瓷土矿的色彩，也可以是细泥质的色彩。从实物来看，黄褐釉的白釉画花瓷器的确有很多不是瓷土，而是各种料质都有，主要是一些泥质的土胎，这种情况在时代特征上不是很明确，各个历史时期都有见（图 2-14），但相对而言多出现在宋元时期。

　　从白釉画花瓷器整体精致程度上看，黄褐胎的白釉画花瓷器在各个时期则表现出了比较一致的特征，即比较粗糙。从许多窑口发现的黄褐胎白釉画花瓷器标本来看，宋元时期是比较粗糙的白釉画花瓷器（图 2-15），明清时期也是比较粗糙的白釉画花瓷器。这样看来各个历史时期的黄褐胎白釉画花瓷器在粗质之上具有连续性的特征。当然这与黄褐胎白釉画花瓷器所使用的原料不好有关联。不过并不是所有的黄褐胎白釉画花瓷器都是粗瓷，我们也有见精致的瓷器，不过数量很少。如我们有时见到外表看起来十分精致的白釉画花瓷器，在胎体特征上为黄褐胎。从数量上看，黄褐胎白釉画花瓷器在宋元、明清等时期都较为丰富（图 2-16），各个时代在数量上的特征几乎相当，并没有很大的发展，具有均衡性的特点。

图 2-15 黄褐胎白釉画花瓷器标本·明代

（4）从土黄胎上鉴定：（图 2-17）宋元、明清时期，土黄胎的白釉画花瓷器都有见，但数量不是很多。宋元时期偶见，多为烧造不太成熟的白釉画花瓷器；金代时期有见；明清时期更多见。用土黄的称谓来描述这类白釉画花瓷器很贴切，因为它们的胎色就是像黄土一样。如果和黄土对比，你基本看不出有什么区别。但这并不是暗示这类瓷器在黄土高原地区常见，它的地域特别的广泛，我们在全国很多地方都发现了土黄色胎的白釉画花瓷器。有的白釉画花瓷器外表看起来的确很美，但打开以后看胎体是土黄胎（图 2-18）。

从白釉画花瓷器的精致程度上看，土黄胎的白釉画花瓷器多是较为粗糙的瓷器，而且是比黄褐胎更为粗糙的瓷器。当然精致的也有，不过在数量上很少，几乎可以忽略不计。因为土黄胎多是一般的细泥所烧造，这一点从宋代白釉画花瓷器来看是这样，从元明清时期出现的粗糙白釉画花瓷器上看也是这样（图 2-19）。

从胎体的细腻程度上看，土黄胎的白釉画花瓷器一般胎体不是很细腻，略有一些杂质，在呈色上有时也不稳定。但同时也存在着另外一种情况，就是胎体十分细腻，杂质也很少，从胎质上看几乎无可挑剔。这是可以理解的，正是因为其所使用的原料不好，所以工匠们才有意注意到了淘洗等工序。从现实角度来讲，过于粗糙的细泥料也不利于成型的需要。所以，在胎体的精致程度上这一时期的土黄胎白釉画花瓷器具有较强的两面性特征。

从色彩的稳定程度和浓淡上来看，宋元、明清时期的土黄胎所表现出的比较好，色彩稳定（图 2-20），浓淡对比为中性，色彩不是很深，但也不是很淡。看来，土黄胎的白釉画花瓷器在色彩上已经较为成熟，并且成为了明清时期延续的传统。

图 2-17 土黄胎白釉画花瓷器标本·金代

图 2-19 土黄胎白釉画花瓷器标本·金代

图 2-18 土黄胎白釉画花瓷器标本·金元时期

图 2-20 土黄胎白釉画花瓷器标本·金代

三、灰 胎

（1）从灰白胎上鉴定：白釉画花瓷器灰白胎数量十分丰富，灰白胎是宋元时期瓷器最主要的胎色（图 2-21），从残破的标本来看，相当多的白釉画花瓷器的胎体都是灰白胎。宋代灰白胎白釉画花瓷器在数量上达到了历史之最，但在金元时期灰白胎与其他胎色的比例明显有所下降。这主要是由于金元时期瓷器胎色进一步的多元化特征所造成的，出现了种类繁多的胎色特征。像宋元时期那样，一个墓葬内的瓷器多灰白胎的情况已经很少见了。另外，灰白胎与精致程度的关系也较为密切，多数精致的白釉画花瓷器在胎体上较为精致，但随着金元时期白釉画花瓷器胎体粗糙化的开始，灰白胎在白釉画花瓷器上的数量一路下滑（图 2-22）。从概念上看，灰白胎

图 2-21 灰白胎白釉画花瓷器标本·宋金时期

的色彩类别明显属复色，即是由黑灰和白两种色彩融合而成，色彩也最为不稳定，偏色现象比较严重，可以偏向灰色，也可以偏向白色。色彩的浓淡程度也是比较复杂，可以说是明暗兼有，或明或暗，相互之间不停地进行转换，似乎很难找到特定的规律可循。而正是以上这些特点造就了这一时期灰白胎白釉画花瓷器较为中性的色彩，就是说，灰白胎白釉画花瓷器可以是精致的白釉画花瓷器，同时从精致程度上看也可以是粗糙的瓷器。

图 2-22 灰白胎白釉画花瓷器标本·宋金时期

图 2-23 灰黄胎白釉画花瓷器标本·明代

（2）从灰黄胎上鉴定：灰黄胎的白釉画花瓷器时常有见（图2-23），我们来看一则江苏南京市戚家山明墓发掘的实例"白釉黑彩瓷瓶，胎色灰黄"。这种色彩在数量上很多，如以上这个例子中出土的两件白釉画花瓷瓶，胎体都是灰黄胎，在总量上有一定的量，时代贯穿于整个白釉画花瓷器始终。灰黄胎白釉画花瓷器在宋元时期特别流行，从标本来看，许多白釉画花瓷器的胎体为灰黄色，而且数量已经成规模，灰黄胎已经成为宋元时期重要的白釉画花瓷器胎体之一。明清时期基本上延续了宋元时期灰黄胎的特征，在数量上也是相当多。从精致程度上看，灰黄胎的白釉画花瓷器精致与粗糙并存，这一点十分明确。在十分精致的白釉画花瓷器中发现有灰黄胎的瓷器；当然也有十分粗糙的白釉画花瓷器胎色为灰黄色的（图2-24），这说明灰黄胎的白釉画花瓷器在器物精致化的程度上特征不是很明显。从色彩本身来看，宋元时期灰黄胎的白釉画花瓷器在胎色上显然属于复色，为灰色和黄色融合体。而且从实物观测来看，这种灰黄色白釉画花瓷器的胎色十分稳定，一般没有偏色现象，显然是一种较为成熟的胎色。从胎体上看，是精致与粗糙并存，但总的来看主要应该还是以较细胎为主。从窑口上看，灰黄胎的白釉画花瓷器以磁州窑为主要特征，各个历史时期都有见（图2-25），没有过于规律性的特征。

图 2-24 灰黄胎白釉画花瓷器标本·明代

图 2-25 灰黄胎白釉画花瓷器标本·明代

图 2-28 浅褐胎白釉画花瓷器标本·明代

图 2-26 浅褐胎白釉画花瓷器标本·宋代

四、褐　胎

（1）从浅褐胎上鉴定：浅褐色胎体的白釉画花瓷器（图 2-26），从数量上看，各个时期都有见，但数量不是很多，都为偶见。宋元时期浅褐胎的白釉画花瓷器数量比较少，但从绝对数量看依然比明清多一些。明清时期继承传统，但在数量上并没有增加，不过我们可以经常看到浅褐胎的白釉画花瓷器，显然这与宋代白釉画花瓷器在胎色多样化上的不断尝试有关，而浅褐胎就是在这一尝试过程中的一种。浅褐胎色彩较淡，许多发掘报告都写的是褐色，其实是一种浅色褐胎。褐胎的白釉画花瓷器属单色类别，稳定性比较好，多数白釉画花瓷器胎体表现出来的是其在色彩上的稳定性，而并未出现大的偏色现象，串色的现象更是少见。从胎体的精细程度上看，浅褐胎的白釉画花瓷器在质量上多属上乘，但同时在质量粗糙的白釉画花瓷器上也有见（图 2-27）。由此可见，浅褐胎白釉画花瓷器在胎色上具有较为中性的特点。从窑口上看，浅褐胎的白釉画花瓷器磁州窑、定窑等各个窑场都有见。但从众多的窑口对比来看，主要还是以磁州窑系统所产的白釉画花瓷器为主（图 2-28）。

图 2-27 浅褐胎白釉画花瓷器标本·明代

　　（2）从紫褐胎上鉴定：紫褐胎白釉画花瓷器在数量上很少见，但这种色彩产生得比较早，可以说是随着白釉画花瓷器的产生就有见（图2-29）。宋元时期数量不是太多，而且存在着有些紫褐胎的白釉画花瓷器在烧造上不太成熟，甚至这种胎色的形成有偶然的成分；同样，明清时期也很少见。也就是说，紫褐胎的白釉画花瓷器在宋元、明清时期并未真正流行起来（图2-30）。这一点我们在鉴定时应当引起重视。如果遇到较多紫褐色胎体的白釉画花瓷器，一定要慎重对待，当心是伪器。

图 2-29 紫褐胎白釉画花瓷器标本·明代

图 2-30 紫褐胎白釉画花瓷器标本·明代

图 2-31 红褐胎白釉画花瓷器标本·明代

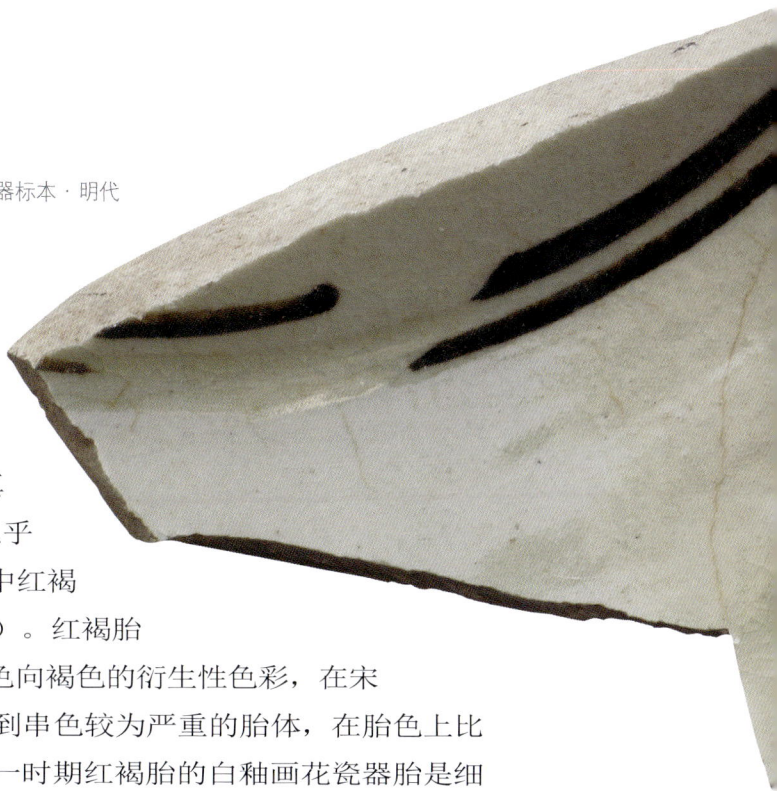

五、红 胎

（1）从红褐胎上鉴定：真正红色胎体的白釉画花瓷器几乎没有，都是一些复色胎体，其中红褐胎的瓷器就较为常见（图 2-31）。红褐胎是红色和褐色的融合体，是红色向褐色的衍生性色彩，在宋元时期已经较为成熟，很少看到串色较为严重的胎体，在胎色上比较稳定。从精细程度上看，这一时期红褐胎的白釉画花瓷器胎是细腻与粗糙并存，但从大量的标本来分析，红褐胎的白釉画花瓷器主要还是以粗糙为主，这样的例子我们可以随时看到。实际上红褐粗胎的白釉画花瓷器在宋元、明清时期相当多，但十分精细的白釉画花瓷器则不是很常见。其实，红褐胎的白釉画花瓷器很多窑口都有烧造，基本上没有很强的规律性可循。从数量上看，宋元时期十分常见（图 2-32），多为一些非高岭土的胎体，明清时期基本上延续前代，但与其他胎色相类比数量还是很少。

图 2-32 红褐胎白釉画花瓷器标本·明代

（2）从红陶胎上鉴定：宋元直至明清时期红陶胎的白釉画花瓷器有一些。所谓红陶胎，顾名思义，其胎色就如同红陶一样，显得十分原始。但只是胎色像红陶，从烧造温度上看相当高，完全具有瓷胎的重要特征。具有红陶胎体的白釉画花瓷器，在宋元时期数量并不是太多，精致的基本没有。所以红陶胎在这个时期内基本不见，即使有也都是一些十分粗糙的瓷器。但红陶胎的出现也揭示出了宋代白釉画花瓷器对于胎体多方面的尝试。宋代红陶胎的白釉画花瓷器在概念上与我们想象的像陶一样的粗胎有了很大区别，胎质相当细腻，胎色也十分稳定（图 2-33）。原料有的为高岭土，一些为细泥土料，但在原料的选择和淘洗上都相当仔细，胎体上的杂质也很少见，单纯从胎体和胎色上看烧造得相当成功。其实如此细腻的胎体，从品类特征上看，不仅仅是白釉画花瓷器上有见红陶胎，而且在一些名贵的瓷器品种中也出现了红陶胎的白釉画花瓷器，如著名的唐三彩中就有许多是红陶胎。当然，在宋代只是有少量红陶胎的白釉画花瓷器看上去是粗糙的。

（3）从砖红胎上鉴定：（图 2-34）砖红胎主要是指像我们现在黏土烧制出来红砖的颜色，这种砖红胎的白釉画花瓷器基本上是黏土烧造而成的原色。瓷器如果用类似于烧砖用的黏土烧造，所呈现的色彩基本上也与砖色相似，只不过在色彩上比砖红色要稳定得多，基本上可以达到单色的要求，串色现象基本上很少发生。从细腻程度上看，相当精细，可见所使用的是优良原料，淘洗相当的细腻，胎体匀净，基本上没有什么杂质。从整体看，烧造异常成功。说是同砖一样的红色，实际上这是一种经过处理的砖红，是较为纯粹的砖红胎。

图 2-33 红陶胎白釉画花瓷器标本·明代

图 2-35 砖红胎白釉画花瓷器标本·宋代

在数量上，宋元时期较为常见；明清时期砖红胎的白釉画花瓷器也
比较常见。特别是在宋代我们发现了诸多的砖红胎白釉画花瓷器。
从窑口上看，砖红胎的白釉画花瓷器主流窑场有烧造，如磁州窑当
中常见（图 2-35）。同样在窑系的窑场中也有烧造。从地域上看，
较为分散，几乎是分散到了全国各个地区的窑场，但更多是的地方
民间小窑场在烧造。从精致程度上看，砖红胎的白釉画花瓷器精致
与粗糙并存。在宋元时期，全国各大窑场对于砖红胎的白釉画花瓷
器都有烧造，但一些大的窑场烧造的这类白釉画花瓷器是将其作为
一种品种瓷在烧造；而一些小的民间窑场是将其做为一种技术含量
低，有利可图的瓷器在烧造。从这两种完全不同的烧造目的来看，
所烧造出来的砖红胎白釉画花瓷器一种是精致，而另外一种是十分
粗糙。我们经常可以看到，有一些砖红胎的白釉画花瓷器，胎体较厚，
在胎体之上有较多大的气孔，看起来粗糙到了极点。但这只是一定
时期砖红胎白釉画花瓷器的一种现象，并不是其主流特征（图 2-36）。
砖红胎的精细白釉画花瓷器影响十分深远，不仅仅是在宋代有一定
规模，而且从瓷器史上看对于后来金元、明清时期白釉画花瓷器的
影响均较为深刻。

图 2-36 砖红胎白釉画花瓷器标本·宋代

图 2-34 砖红胎白釉画花瓷器标本·元代

图 2-37　紫红胎白釉画花瓷器标本·宋金时期

　　（4）从紫红胎上鉴定：宋元至明清时期，紫红胎的白釉画花瓷器十分盛行。从时代上看，宋元时期较为常见（图 2-37）；明清时期数量更为丰富。我们在不同地区、不同窑口均见到了为数不少的紫红胎白釉画花瓷器，紫红胎从此成为宋代白釉画花瓷器胎体上的重要色彩类别。紫红胎白釉画花瓷器是宋代瓷器胎体多样化过程的产物。紫红胎在颜色类别上属于复色的范畴，是紫色向红色延伸，也是紫色和红色完美的融合。从色彩的浓淡程度上看，色彩较浅，明显有向紫色过渡的倾向性，所以有很多的人也称这一时期的紫红胎为浅紫红色胎，实际和我们这里所说的是一种胎色。从色彩稳定性上看，宋元至明清时期的紫红胎在色彩上相当稳定，基本上没有了串色现象，是一种十分成熟的色彩（图 2-38）。从原料上看，不仅仅是细泥黏土，高岭土料也有。胎料一般都十分精致，很少见到粗糙的现象。从淘洗上看，基本上也都是按照程序进行，并没有省掉工序或粗糙的现象。从白釉画花瓷器的精致程度上看，一般紫红胎的白釉画花瓷器在精致程度上都比较好，有的整个墓葬随葬的白釉画花瓷器都是紫红胎，但几乎未发现有粗糙的情况。但在某些地区也有集中发现一些紫红胎白釉画花瓷器较为粗糙的现象，不过这显然不是整个时代的主流，而只是某个窑场在烧造这批白釉画花瓷器之时的败笔。总之，紫红胎白釉画花瓷器在宋代集中出现，反映出的是宋代对于白釉画花瓷器在胎色和原料多样化上的更多尝试（图 2-39），为宋代鼎盛期瓷器的到来奠定了坚实的基础。这些我们在鉴定时要引起注意。

图 2-39 紫红胎白釉画
花瓷器标本·宋金时期

图 2-38 紫红胎白釉画花瓷器标本·宋金时期

　　（5）从暗红胎上鉴定：白釉画花瓷器暗红胎常见（图2-40），时代和地域特征都不是太明显，可以说宋元和明清时期都有见。墓葬出土多为一到两件；遗址出土数量众多，在总量上有一定的量。从胎色上看，暗红胎是一种色彩较深的红色，视觉感较暗，而且色彩比较固定，多为非高岭土烧造，偶见有高岭土料烧制。从宏观上看，可以称之为单色，但仔细观察，仍然可以看到略微的偏色现象，而且是通体性的。由此可见，白釉画花瓷器在胎色上主要是以人们的视觉为判断标准，是人们视觉上的一场盛宴。从造型上看，暗红胎的白釉画花瓷器涉及到多种器物造型，如碗、盘、碟、壶、罐、枕、瓶等都常见（图2-41）。但总体来看，以大型的器皿为显著特征，如罐、壶、瓮等器皿。从流行阶层上看，上流社会、市井之上都有见，在这一点上没有过于规律性的特征。从窑口上看，暗红胎是磁州窑白釉画花瓷器上的一大特征；在定窑烧造的白釉画花瓷器当中也常见。总之是诸多烧造白釉画花瓷器窑场的主流。从精致程度上看，暗红胎白釉画花瓷器精致者有见（图2-42），但总量很少。主要以普通瓷器为多见，粗糙瓷器中也有见。这一点很正常，因为本身白釉画花精致瓷器的总量就很少，所以从比例上看这一点也属正常。

图2-40 暗红胎白釉画花瓷碗·宋代

图 2-42 暗红胎白釉画花瓷碗·宋代

图 2-41 暗红胎白釉画花瓷碗标本·宋代

图 2-43 高岭土胎鸟纹白釉画花瓷器标本·宋元时期

第二节 胎质特征

一、用 料

（1）高岭土胎：白釉画花瓷器在用料上比较复杂，但从主流上看显然是以高岭土为主（图 2-43）。从胎色上看，高岭土胎在色彩上种类较多，可以分为白、灰白、青、灰、黑褐、铁青等胎色。不同精致程度的高岭土胎所对应的胎色各异。从时代上看，宋代高岭土在质量上达到了顶峰，元明清保留传统。高岭土是最适合烧造瓷器的瓷土矿，好的高岭土矿烧制出来的胎体具有细腻、坚固、不变形，在呈色、稳定性、以及透感上都比较好等特点。而普通的高岭土胎，则没有这种效果。往往是一个地方如果有好的高岭土矿，那么这个地方就能够成为一个地区的瓷业中心。正如景德镇之所以成为中国的瓷都，其实与景德镇所产的优质瓷土矿有很大关系（图 2-44）。从整个宋元、明清时期的白釉画花瓷器胎体来看，这一时期多数白釉画花瓷器使用的都是高岭土料。但高岭土的质量有优劣之分，而且这一点十分清晰。从精致程度上看，使用优质高岭土胎的白釉画花瓷器多精致，而使用不是太好料的白釉画花瓷器多粗糙。但这种正比的关系有时也有错位现象，如有些看起来较为精致的白釉画花瓷器，其实在胎体用料上比较差，但这可能只是个别的现象而已，并不是主流性的特征。从温度上看，无论是优质还是粗略的高岭土胎体的白釉画花瓷器，在温度上都比较高（图 2-45），这一点没有悬念。因为，如果温度很低，那么瓷器必然容易变形，也不坚固，所以通常情况下白釉画花瓷器的温度都比较高。总的来看，在宋元、明清时期人们显然已经认识到了高岭土是烧制瓷器最好的原料，特别是白釉画花瓷器使用高岭土烧造已蔚然成风。

图 2-44 喇叭形圈足白釉画花瓷灯盏标本·明代　图 2-45 实用与装饰兼具的白釉画花瓷器标本·宋代

（2）黏土胎：黏土胎的白釉画花瓷器往往在胎体上夹着各种各样的掺合料。黏土显然属硅酸盐材料的一种，包括细泥料、普通泥质料等（图2-46）。掺合料对于白釉画花瓷器而言多呈现出无规则性，如夹砂料、夹云母料、夹蚌料等，在白釉画花瓷器之上都常见。从胎色上看，黏土胎的色彩呈现出砖红、橘红、橙色、黄褐等色彩，白、灰、青、黑等色彩比较少见。从窑口上看，以磁州窑等主流窑场较为细腻，其他的一些窑场烧造的白釉画花瓷器在黏土胎的质量上则不是很高。

图 2-46 黏土胎白釉画花瓷器标本·明代

　　泥料是黏土胎的主流。从原料上看在虽然白釉画花瓷器普遍以高岭土为料（图2-47），但由于宋元至明清时期时代拉锯比较长，瓷器在用料上又十分复杂，除了使用高岭土为原料外也使用泥胎，使用泥质胎的现象在宋元时期还是较为普遍，明清时期延续，虽然没有高岭土胎数量多，但各个时期都有一些。相比而言，宋代很少见，基本上为偶见，泥胎的白釉画花瓷器多数为没有烧制成功的瓷器；金元时期泥胎白釉画花瓷器有一些，但数量依然有限；明清时期，泥质胎体的白釉画花瓷器逐渐多起来，可以说在数量上达到了一个相当的规模，成为明清白釉画花瓷器胎体的重要组成部分。泥胎白釉画花瓷器一般都采用细泥质黏土，原料质量优良，淘洗相当仔细，几乎看不到杂质；但也有部分白釉画花瓷器在胎土使用上比较粗糙，但这种情况很少。从色彩上看，泥胎烧制而成的白釉画花瓷器在色彩上主要以红、橙、黄、褐等色为常见（图2-48），各种色彩的组合也经常有见，如红褐、土黄、砖红等。从色彩浓淡程度上以浅色为主，过于浓重的色彩很少见，如灰、黑、青等，另外白、灰白等色也很少见。宋元、明清时期的泥胎白釉画花瓷器并不都是粗糙的白釉画花瓷器，而多见是普通白釉画花瓷器，也有见精致白釉画花瓷器，如相当多看似非常精致的磁州窑白釉画花瓷器的胎体都是细

图2-47 黏土胎白釉画花瓷器标本·明代

图 2-48 橙黄胎白釉画花瓷器标本·元明时期

泥质。当然也有些泥质胎体的白釉画花瓷器较为粗糙，但数量很少，基本上为偶见。从窑口上看，这一时期泥质胎体的白釉画花瓷器在窑口特征上异常模糊，基本上当时各大窑口都有生产（图 2-49），只是在烧造的数量上有一些差异性。但数量上的差别主要是在时代上，窑口在数量上的差别不是太大。

图 2-49 黏土胎白釉画花瓷器标本·明代

二、淘 洗

淘洗是白釉画花瓷器在选料之后的一道必需的工序（图 2-50）。白釉画花瓷器尤重胎体淘洗，鉴定时要注意分辨。从胎色上看，白釉画花瓷器胎色与淘洗关系紧密，主要体现在色彩纯度上，胎色纯正的胎体多为精致瓷器，随着胎色纯正程度的下降，淘洗的精炼程度略低。白釉画花瓷器原料多选用优质的高岭土料，普通黏土料在淘洗上都是比较精致，淘洗粗糙者偶见。从窑口上看，白釉画花瓷器在淘洗上以宋代磁州窑为显著特征。我们下面具体来看一看。

（1）从精炼上看：多数白釉画花瓷器在淘洗上精炼（图 2-51）。宋代淘洗精炼的白釉画花瓷器在数量上就比较多，如，磁州窑白釉画花瓷器中许多胎体淘洗都极为精炼；金元时期在数量上有所下降，但仍可以发现一些淘洗相当精炼的瓷胎。从淘洗方法上看，多采用了脚踏的方法进行淘洗。就是使用脚踏碓、水碓进行原料加工。脚踏碓如同淘米一样，用柱子架起木杠，另一头装上石头，用脚踏另一端，石头就来回起落，将瓷土去除杂质。这样的方法不但可以将瓷土淘洗得相当精炼，而且还提高了效率，可以进行大规模的生产，比较适合白釉画花瓷器的烧造。从精致程度上看，宋元、明清时期胎体精炼的白釉画花瓷器多精致。如宋代磁州窑精致白釉画花瓷器就是这样，几乎没有过于粗糙的胎体。从窑口上看，基本上当时各个窑场都烧造了大量胎体精炼的白釉画花瓷器，但从数量上看，还

图 2-50 淘洗略粗白釉画花瓷器标本·明代

图 2-51 淘洗精炼白釉画花瓷器标本·宋代

是以著名窑场最为丰富，如磁州窑、介休窑等。由上可见，胎体淘洗精炼在白釉画花瓷器之上已经成为的一种时尚。

（2）从略粗胎上看：宋元、明清时期胎体真正淘洗粗糙的白釉画花瓷器显然不是主流，只有在一些民间土窑烧制的白釉画花瓷器胎体时有见（图2-52）。而这些白釉画花瓷器在当时显然都不是很多。在宋元、明清时期大量出现了一些淘洗略粗的白釉画花瓷器，但略粗胎体的白釉画花瓷器看起来胎体也是比较细腻，在使用的原料上一般都采用了高岭土或是料较好的黏土，只不过是在淘洗的时候略粗而已。从精致程度上看，淘洗略粗胎体与白釉画花瓷器的精致程度存在着较为密切的关联，但这种关联又都是十分微弱和不明显的。从理论上讲，淘洗略粗的胎体在白釉画花瓷器的精致程度上应该存在着一些问题，但从实践中看，这并不是一个十分确定的规律。有许多略粗胎体的白釉画花瓷器在其他各个方面也相当精益求精。如果从胎体横截面来看，完全就是一件精致的白釉画花瓷器。这说明，在宋元、明清时期，胎体在淘洗上并没有过多地加入观念的因素，不是有意将胎体淘洗得略粗，有意的敷衍。就是说，略粗的胎体在制作时是无意识地

图 2-52 淘洗略粗白釉画花瓷器标本·明代

自然形成，看来淘洗略粗的白釉画花瓷器应该是精致与粗糙并存（图2-53）。但反过来，我们要能理解淘洗特别精炼的胎体显然有观念因素的加入。通常，淘洗异常精细的瓷胎就是为制作精致的白釉画花瓷器而准备的。以上这些辨证的关系，我们要能理解，这是我们鉴定一件略粗胎体白釉画花瓷器真伪及其他特征的根本。从窑口特征上看，淘洗略粗的白釉画花瓷器在窑口特征上不是很清晰，基本上当时的各大窑口都烧造有淘洗略粗胎体的白釉画花瓷器，而且数量都比较巨大。

图 2-53 淘洗略粗白釉画花瓷器标本·金代

三、胎　料

1. 细　胎

对于白釉画花瓷器而言，只要胎体符合淘洗精炼、胎色白皙、匀厚、细腻致密等特征，基本上都可以定性为细胎。白釉画花瓷器细胎者有见（图2-54），但数量很少，多数是在诸多条件的限定下生存。如时代、窑口、色彩等因素对于细胎的出现都至关重要。从时代上看，白釉画花瓷器胎体细腻在时代特征上鲜明，主要以宋代为显著特征，金元、明清等时代少见。显然，这与宋代发达的瓷器烧造技术有关。但由于白釉画花瓷器显然是纯粹的民间用瓷，所以在胎体的精细程度上十分有限。从宋代白釉画花瓷器细腻胎体的横截面上看，或许很难达到像官窑瓷器胎体那样让人惊叹的程度，只是看上去已经无缺陷，在色彩上纯度比较高而已。普通瓷器中细胎者不多见；粗糙白釉画花瓷器中细胎几乎不见。元明清时期在细胎上基本延续前代。细胎白釉画花瓷器在窑口上十分明显，以磁州窑、

图 2-54 细胎白釉画花瓷器标本·明代

图 2-55 细胎白釉画花瓷器标本·宋代

图 2-56 细胎白釉画花胎体标本·宋代

定窑等窑口为主（图 2-55），多数是其窑系的窑场烧造，但显然在磁州窑中细腻胎体的白釉画花瓷器数量很少。从精致程度上看，细腻胎体的白釉画花瓷器与精致程度关系密切，细腻胎体的白釉画花瓷器基本上都是精美绝伦的艺术珍品。但精致的白釉画花瓷器显然不一定必是细腻胎体，这种辩证关系我们在鉴定时应注意分辨。普通和粗糙瓷器基本与精细胎体无缘。从色彩上看，细胎的白釉画花瓷器在胎色上基本锁定在了橙、黄、红等色调之上，以纯正程度为显著特征，具有较强的稳定性。从数量上看，细胎白釉画花瓷器总量很小，以宋代最为常见，金元时期基本不见，明清时期也很少见，墓葬和遗址当中都有出土。从器物造型上看，细胎白釉画花瓷器在器物造型上没有过于规律化的特征，各种各样的器物造型都有见（图2-56），如碗、盒、壶、瓶、枕等都有可能是精细的胎体，且比例较具均衡性，鉴定时应注意分辨。

2. 略粗胎

白釉画花瓷器中略粗胎经常有见（图 2-57）。我们随意来看一则南京戚家山明墓出土的实例"白釉黑彩瓷瓶 M2：3，质地略粗"。略粗胎的白釉画花瓷器是介于精细胎和粗胎之间的胎体，这种胎体较为中性化，它的基本特征是我们可以看到胎体上有星星点点的杂质。但除了这一点外，其他胎体特征都趋向细腻胎体。有时我们可能发现有些胎体在用料上使用的不是标准的高岭土，而是细泥料，但这些细泥料被淘洗得异常干净（图 2-58），几乎没有杂质。从烧造温度上看相当高，整个胎体被完全烧结，几无缺憾。显然这是宋元、明清时期白釉画花瓷器在胎体上的主流。宋代多数白釉画花瓷器都是略粗胎。因为宋代白釉画花瓷器刚刚烧造成功，在胎体烧造上还有许多缺陷。但宋代人们烧造的白釉画花瓷器又十分认真，所以这

图 2-57 略粗胎白釉画花瓷器标本·明代

图 2-58 略粗胎白釉画花瓷器标本·明代

一时期很多白釉画花瓷器在胎体上的特征基本上介于精与粗之间，为略粗胎的一种。金元时期略粗胎白釉画花瓷器的数量进一步扩大，除了像磁州窑等一些少数窑口烧造的白釉画花瓷器细腻胎体有时略多外，其他绝大多数窑口所烧造的白釉画花瓷器都是略显粗糙。可以说，金元时期略粗胎在数量比例上几乎达到了历史之最。明清时期，这一情况延续了下来，略粗胎的白釉画花瓷器在数量上依然占据有绝对优势，但从所占比例上看有所下降，这是因为在明清时期白釉画花瓷器进一步向多元化的方向发展，特别是在粗瓷的比例上有所增加。从精致程度上看，略粗胎的白釉画花瓷器在精致程度上介于精致和粗糙之间，所以既可以将其烧制成精致的白釉画花瓷器，同时也可以将其烧制成粗糙的瓷器。但从实际出土器物上来看，在宋元、明清时期特征十分明确，主要烧造较为普通的白釉画花瓷器（图 2-59），真正精致的白釉画花瓷器很少见。从销售群体上看，粗胎的白釉画花瓷器受众最为广泛，因为略粗胎烧制而成的白釉画花瓷器主要有两种：一是普通白釉画花瓷器；二是粗糙白釉画花瓷器。而这两种白釉画花瓷器都是老百姓真正在日常生活当中使用的白釉画花瓷器。

图 2-59 略粗胎白釉画花瓷器标本·明代

3.粗 胎

粗胎的白釉画花瓷器有见（图2-60），但显然占据不到主流地位。从时代上来看，宋代白釉画花瓷器粗糙者胎体通常略粗，但数量并不是很多。金元时期粗胎的白釉画花瓷器数量有所增加，许多白釉画花瓷器的胎体看起来比较差。由此可见，金元时期粗胎的白釉画花瓷器显然已是主流。特别是元代粗胎的白釉画花瓷器有一定量的增加，出现了一些较为粗糙的胎体。从疏松程度上看，这一时期胎体疏松的白釉画花瓷器基本上也是粗胎的白釉画花瓷器。胎体疏松基本上与粗胎形成了伴生之势。从烧造温度上看，宋元、明清时期烧造温度是高低兼具，特征并不是很明显。从理论上看，夹砂的胎体烧造温度应该低一些，因为夹砂胎对于温度的要求较低。当然这种情况有见，多是一些小窑场烧造的产品。从窑口上看，宋元、明清时期粗糙白釉画花瓷器基本上各个窑口都有烧造。因为这一时期的窑场基本上都是民间窑场，还没有真正意义上以烧造精致瓷器为主的专有的官窑场。而民间烧造必然要涉及到的销售群体，即有达官贵人所需要的精致白釉画花瓷器，也有普通百姓所需要的一般质量的白釉画花瓷器，同时也要满足穷人的需要。因此，即使当时

图2-60 粗胎白釉画花瓷器标本·明代

有名的磁州窑在白釉画花瓷器上也分精致、普通、粗糙3种。这显然是粗胎白釉画花瓷器出现的根本原因（图2-61）。由此可见，这些粗胎的白釉画花瓷器预定销售群体就是穷人。只要求价廉和实用，而粗胎的白釉画花瓷器已完全能够达到这两个方面的功效。这也是宋元、明清时期粗白釉画花瓷器始终兴盛不衰的根本原因。但这种情况也有例外。另外，我们还发现宋元、明清时期的白釉画花瓷器与胎体的厚薄等也有一定的关系。一般胎体薄的白釉画花瓷器粗胎者不多；而胎体较厚者粗胎的白釉画花瓷器比例则较大。总的来看，粗胎的白釉画花瓷器无论从数量、品类、窑口、销售群体等哪一方面看都不是这一时期瓷器的主流，只是白釉画花瓷器在胎体上的一种特征罢了。

图2-61 略粗胎白釉画花瓷器标本·宋代

4.夹砂胎

白釉画花瓷器胎体夹砂的情况常见。通常情况下，白釉画花瓷器如果夹砂，其胎体有明显沙砾，人们多可以观测到。可见白釉画花瓷器胎体并不避讳胎体夹砂的存在（图2-62）。从数量上看，墓葬和遗址内都有见。从总量上看，虽然不占优势，但有一定的量。白釉画花瓷器夹砂胎以黑色颗粒为主，在烧造上还是比较讲究，不避讳也不推崇。从原料上看，无论是高岭土胎还是黏土胎都有可能是夹砂胎，并没有过于规律性的特征。从时代上看，宋代比较少见，其他时代比较多。从精致程度上看，夹砂胎体所对应的瓷器精致、普通、粗糙者都有见，以普通和粗糙者为显著特征。具体我们来看一下。

图2-62 夹砂胎白釉画花瓷器标本·宋代

（1）从粗砂胎上鉴定：粗质夹砂胎出现主要有两个方面的原因，一是传统的延续；二是为了胎体进一步的坚固，所以加入了砂砾。这样客观上可以增强白釉画花瓷器胎体的强度。实际上这两种情况都存在，在宋代应该存在一定延续传统的情况。因为在宋代，白釉画花瓷器刚刚烧造成功，从理论上讲是不应该出现粗质胎体的。但事实上的确是出现了较粗砂胎的现象，显然这应该是源于中国古代瓷器以及陶器等夹砂的传统（图2-63）。第二种胎体加固的情况，从宋元、明清时期的烧造温度和其他情况来看，即使不需要夹砂也能达到相应的坚硬强度，所以为了降低温度而夹粗砂的可能性不大。

从颗粒的大小上看，粗砂胎的颗粒一般比较大，颗粒没有经过加工，或者是加工得较粗，看上去相当原始。从色彩上看，宋元、明清时期粗砂胎的砂砾白、黄、黑、褐、黄褐、灰白等诸多色彩都有见（图2-64），但主要以黄褐和灰白等色彩比较多见。不过，数量也不是很多。总之，粗砂胎在色彩上特征较为模糊，没有特别的规律可循。从窑口上看，出现粗砂胎的白釉画花瓷器窑口比较普遍，宋金元、明清时期任何一个窑场都有可能出现这种情况，只不过在数量上有多少之分。通常，较为有名的窑口在数量上比较少见。像著名的磁州窑和定窑粗砂胎的白釉画花瓷器的确比较少见，而一些地方小窑场则容易生产这种粗砂胎质的白釉画花瓷器。从精细程度上看，粗砂胎的白釉画花瓷器与精致程度关系密切，精致的瓷器之上很少见，普通的瓷器之上多见，以粗糙瓷器为主。从时代上看，粗砂胎白釉画花瓷器从总量上看并不是很多。宋代白釉画花瓷器中有见夹砂胎的情况，但夹砂的量比较少，砂砾的颗粒也比较细小；金元时期在数量上有一定增加，特征与宋代相似，在特征上也较为丰富；明清时期数量有所减少，鉴定时应注意分辨。

图 2-64 粗砂胎白釉画花瓷器标本·宋代

图 2-63 粗砂胎白釉画花瓷器标本·宋代

图 2-65 细砂胎白釉画花瓷器标本·宋代

（2）从细砂胎上鉴定：细砂胎白釉画花瓷器在各个历史时期都比较常见（图 2-65）。从砂砾大小上看，细砂胎砂子颗粒比较小，砂砾一般都经过仔细加工，较为精细。从色彩上看，杂色比较少，多为同一种色彩，以白胎为多。细砂胎白釉画花瓷器多较为精细，粗糙者少见，但这只是一个概率性质的鉴定要点，而不是必然的联系。从规整上看，细砂胎白釉画花瓷器通常多规整，很少见胎体有变形的现象，胎体在制作上较为精细。从温度上看，细砂胎的温度通常较高，在宋元、明清时期人们似乎并不刻意为了降低温度而有意地进行夹砂，一般情况下都是正常温度烧造有砂砾的细胎白釉画花瓷器。这样烧造出来的瓷器胎体相当坚硬，很多白釉画花瓷器保留到现在依然是完好无损。从窑口上看，细砂胎的白釉画花瓷器在窑口特征上不是很明确，磁州窑有见（图 2-66），其他的窑口也有

图 2-66 细砂胎白釉画花瓷器标本·宋代

见，地域几乎遍及全国。但通常大的窑场烧造的白釉画花瓷器细砂胎多一些，普通民窑烧造的细砂胎白釉画花瓷器在数量上略为逊色。从流行阶层和种类上看，这一时期细砂胎的白釉画花瓷器同样特征较为弱化，没有特定的流行阶层和固定的白釉画花瓷器种类。从数量上看，宋代细砂胎的白釉画花瓷器就有见，但数量不是太多；金元时期数量迅速增加；明清时期细砂胎的白釉画花瓷器在规模上进一步扩大，数量最为丰富。

四、胎 体

1. 略厚胎

略厚胎的白釉画花瓷器是宋元、明清时期白釉画花瓷器的主流（图 2-67）。从总量上看明显是这样，但在具体的时代特征上有较大差异性。宋代略厚胎的白釉画花瓷器常见，不过显然已经有了向较薄发展的迹象；金元时期略厚胎体的白釉画花瓷器增速很块，相当多的白釉画花瓷器在胎体上已经是略厚的胎体，和当时的厚重胎体基本上形成了对峙的格局。而且金元时期的精致瓷器基本上都已经是以略厚胎为主要特征，特别是像磁州窑白釉画花瓷器在胎体上

图 2-67 略厚胎白釉画花瓷器标本·明代

的特征基本上都是略厚，只有一些较为粗糙的白釉画花瓷器在胎体
上依然坚持了厚重。金元时期略厚胎的白釉画花瓷器在总量上完全
占据了主导地位，大多数的白釉画花瓷器在胎体上都是以略厚为主，
厚重胎体的白釉画花瓷器退居到少数的位置。略厚胎体的白釉画花
瓷器的概念十分明确，就是比薄的瓷器略厚，看来这类白釉画花瓷
器在宋代及金元时期取得了成功，居于绝对的统治地位。从精致上
看，略厚胎体的白釉画花瓷器通常多精致，但这与白釉画花瓷器胎
体并没有太过于紧密的联系，如著名的磁州窑白釉画花瓷器主要是
从当时销售的群体上来人为地将其划分为了精致、普通和粗糙的等
级。从胎体上看，宋元、明清时期略厚胎的白釉画花瓷器在胎体上
以细腻为主，粗糙者有见，但不是主流。烧造温度一般都很高，夹
砂胎随着时代的发展而逐渐呈递减状态，胎体多规整，很少有变形
的现象发生。从这些情况上看，略厚的胎体在宋元时期已经相当成熟。
从器物造型上看，主要以碗、盘、碟、枕、瓶等器皿为最常见（图2-68），
囊括内容丰富。从窑场上看，无论是著名的磁州窑还是乡村小窑场
的磁州窑系产品，略厚胎都是白釉画花瓷器的主流特征。

图 2-68 略厚胎白釉画花瓷碗 · 明代

2. 厚重胎

厚重胎体的白釉画花瓷器在宋元、明清时期都有见（图 2-69），但从数量上看不及略厚胎多，也是一种比较重要的胎体类型。特别是元代白釉画花瓷器很多为厚胎。明代白釉画花瓷器厚胎依然处于优势地位，但已经有了向略厚胎演变的倾向，形成了略厚胎和厚胎并存的格局。当然厚胎的概念与造型有着密切关系，厚胎也是一个模糊的概念，究竟是不是厚胎不是单靠尺寸就能决定的，还要看白釉画花瓷器的造型。如果体积较大的造型，则胎体比较厚，但有时也不能说就是厚胎白釉画花瓷器，而造型很小的白釉画花瓷器既使有些胎体看起来比较薄，但实际上对于其较小的造型来讲胎体已经是比较厚重了。从这一概念上来看，金元、明清时期真正厚重的白釉画花瓷器并不是很多，这与金元、明清时期白釉画花瓷器的制作多受磁州窑影响有关。磁州窑就是宋代及金元时期各个瓷器窑场白釉画花瓷器的标杆，很多窑场都是仿烧磁州窑。如定窑和介休窑都是这样，南方的一些窑场也是这样。而磁州窑瓷器比较精细，特别在胎体上以较薄胎为主要特征。受这一趋势的影响，所以在金元时期真正厚重的白釉画花瓷器胎体比较少。厚重胎体的白釉画花瓷器真正兴起是在金元时期（图 2-70），特别是在元代，我们可以看到数量众多的厚胎白釉画花瓷器。如在河南三门峡陕州故城遗址等地发现的一些粗糙的白釉画花瓷器，胎体相当厚重，而且烧造温度很高，有的还是夹砂胎。这样做的目的显然都是为了使胎体异常的坚固，

图 2-69 厚重胎白釉画花瓷器标本·明代

图 2-70 厚重胎白釉画花瓷器标本·金代

增强其实用性罢了。的确，这样做的目标应该是达到了，因为即使
历经了历史的风雨浮沉，许多厚胎的白釉画花瓷器依然是完好无损。
特别是有些白釉画花瓷器标本是从城市的遗址之上发掘出来的，有
时，我们看到诸多的同时期瓷器都碎成了极细小的片状，而厚胎的
白釉画花瓷器受到的伤害却不大，有的只是缺掉一小块而已。由此
可见，厚胎白釉画花瓷器在胎体的坚固程度上是一流的（图2-71）。
从粗细程度上看，厚重胎体白釉画花瓷器的粗细程度主要以粗为主，
这一点在宋金元时期表现得还不是很明显，在明清时期表现的犹为
明显。明清时期厚重胎的白釉画花瓷器胎体多十分粗糙，从外表上
看各种颗粒状的砂砾密布，并且伴随着其他杂质并存。单从胎体上
看就没法看，真是粗糙到了极点。当然，较细的胎体也有见，但数
量真是太少了，想要找到一个实例也是不容易的事
情。从精致程度上看，这一时期厚重胎体的白釉画
花瓷器通常以粗糙为主要特征，很多厚胎的白釉画
花瓷器也是粗糙的白釉画花瓷器，这一点毋庸置
疑。另外，还发现有一些较为精致的磁州
窑白釉画花瓷器在胎体上也是比较厚重
（图2-72）。由此可见，宋元、明清时
期厚重胎体的白釉画花瓷器在精致程
度上分为了两个极端，最为精致的白
釉画花瓷器和最为粗糙的白釉画花瓷
器并存。

图 2-71 厚重胎白釉画花双系瓶·辽代

图 2-72 厚重胎白釉画花瓷器标本

五、瓷化程度

　　白釉画花瓷器在瓷化程度上特征比较复杂。多数白釉画花瓷器的胎体完全被烧结，致密、坚硬，但也偶见有瓷化程度不高的情况，如胎体疏松等缺陷有见，只是在数量上很少。这一点应该与白釉画花瓷器深度民窑的性质有关，下面我们具体来看一看。

　　（1）从烧结上鉴定：白釉画花瓷器胎体基本都已烧结，这一点是无疑的，从宋代白釉画花瓷器烧造成功的那一天起就是这样，金元时期同样也是这样。从实用的角度来看，瓷化程度高是瓷器烧制成功的一种标志（图 2-73）。瓷化程度的高与低从烧造上看与温度有着密切的联系。温度达到了 1200℃以上，有的甚至能够达到1300℃，这样的温度完全可以将瓷胎烧结，瓷化程度达到优良。而宋元、明清时期白釉画花瓷器的温度完全可以达到甚至超过这样的温度。由于白釉画花瓷器是人们日常生活当中最主要的实用器，所以在当时，人们特意注意了它的温度，目的就是为了将胎体的瓷化程度提高。当然，瓷化程度的高低和烧结不仅仅是与温度有关，还与胎体所使用的原料、烧造的方法、使用的窑炉、胎体杂质多少，以及是否是砂胎等诸多因素有着密切的关系。如有的原料由于矿物耐热性较强，所以导致有些地方难以烧结。这是一种很正常的自然现象，在白釉画花瓷器胎体上的表现就是有些胎体在色彩上不是很一致，看起来差异很明显（图 2-74）。另外，如砂胎就很容易烧结，胎体达到坚硬的程度，但细泥胎或许用了很高的温度也不能完全达到瓷化很高的程度。总之，这一时期白釉画花瓷器在胎体的烧结上还比较好，瓷化程度高成为了该时期白釉画花瓷器在胎体上的主流特征。

图 2-73 烧结程度较高白
釉画花瓷器标本·明代

图 2-74 烧结程度较高的
白釉画花瓷器标本·宋代

图 2-75 烧结程度较高的
白釉画花瓷器标本·金代

（2）从弱化上鉴定：白釉画花瓷器胎体在瓷化程度上弱化的情况也时常有见（图 2-75），但数量不是很多，显然不是这一时期的主流特征。宋代就有见（图 2-76），但数量不是很多；金元时期白釉画花瓷器胎体弱化的情况比较多一些。从温度上看，胎体瓷化程度的弱化，显然与温度较低有着密切的关系，温度较低，胎体自然不能完全烧结，所以就会出现瓷胎的弱化。一般情况下，宋元、明清时期白釉画花瓷器作为民用瓷都不会找这样的麻烦，在瓷化程度上都是比较高的，因此瓷化程度弱化的情况从总体上看比较少见。

图 2-76 烧结程度较高的
白釉画花瓷器标本·金代

六、气　孔

白釉画花瓷器胎体有气孔情况有见（图 2-77），但从总量上看，有气孔的白釉画花胎体不占据优势。从器物观测来看，气孔的出现是一个综合的过程，与选料、淘洗、做工等诸多工序都有关系，无论在哪个方面出了问题都会在胎体上形成气孔。因此，从理论上讲瓷器在胎体上无法完全避免气孔的存在，但可以将气孔出现的几率大为降低。如选用高岭土料，淘洗精炼等措施的实施等，都会有效降低气孔在瓷器上出现的频率。我们知道，白釉画花瓷器除了民间窑场在用料上差一些外，其他各个方面都比较好，在气孔上实际并不严重，具体我们来看一下。

（1）从轻微气孔上鉴定：白釉画花瓷器胎体有气孔的情况有见（图 2-78），但气孔多比较轻微。从大小上看，一般像针孔大小，而且分布也不是很均匀，多为局部有一些，而大部则无气孔现象。气孔严重与否通常与胎体的疏松程度有关，胎体疏松程度越大，有气孔的情况则比较严重，而气孔轻微的，通常胎体在疏松程度上比较好。另外还与胎体的烧造温度有关，当烧造温度达不到时，气孔就会较严重，而当温度达到胎体完全烧结时，气孔就会比较轻微（图 2-79）。但无论从那一方面看，有气孔的胎体就不应该属精细白釉

图 2-77　白釉画花瓷器标本·金代

画花瓷器的范畴。不过这只是理论上的逻辑关系，从实际情况来看
却不是这样。有一些轻微有气孔的胎体在白釉画花瓷器的精致程度
上依然很好。这也是正常的现象，因为在白釉画花瓷器的胎体上有
轻微的气孔，实际上对于在施加有化妆土的胎体上施釉没有很大的
影响，所以有一些精致的白釉画花瓷器上也会出现。从窑口上看，
轻微气孔的胎体在当时的各大窑口都有，完全没有气孔胎体的窑场
比较少。但在一些窑场中，一些精致白釉画花瓷器从标本来看的确
能够达到胎体匀净，而没有轻微气孔的情况（图2-80）。另外，像
宋代的磁州窑烧造的白釉画花瓷器胎体相对比较好。从用料上看，
磁州窑宋代及元明清时期白釉画花瓷器在用料上都使用精致的高岭
土料，这本身从一定程度上就减少了白釉画花瓷器胎体出现气孔的
现象。但在这一时期有许多其他窑的白釉画花瓷器在用料上依然使
用的是细泥料，有的泥料还比较粗糙，而在这些细泥料上就容易产
生气孔。不过，并不是说所有的细泥料白釉画花瓷器在胎体上都会
出现气孔，一些淘洗十分精细的瓷胎显然很少出现气孔的现象，即
使是有也比较轻微。从数量上看，这一时期有轻微气孔的现象还是
经常可以看到，但从具体时代上看，宋代只能算是有见，但数量很少；
金元时期数量进一步增加（图2-81）。

图2-78 白釉画花瓷器标本·元明时期

图2-79 白釉画花瓷器标本·宋代

图 2-80 胎体匀净的白釉画花瓷器标本 · 宋代

图 2-81 轻微杂质胎体匀净白釉画花瓷器标本 · 金代

图 2-82 严重杂质胎体匀净白釉画花瓷器标本·宋金时期

（2）从严重程度上鉴定：有严重气孔的白釉画花瓷器（图 2-82）
宋代有见，但数量不是很多。金元时期数量有一定量的增加。由于
在用料和烧造温度上均有问题，故出现了一些气孔较为严重的情况。
但在布局上看，也不是很普遍，有的胎体整个可能就一处或者几处
较大的气孔，当然少数较为严重。这些气孔严重的胎体，多数胎质
不太好，通常呈现出疏松、杂质比较多等现象。另外从烧造温度上看，
有一些比较低。但温度似乎并不是主要问题，这一时期多数白釉画
花瓷器在温度上还都是比较高。金元时期较为严重气孔的白釉画花
瓷器主要集中在一些粗糙的白釉画花瓷器之上（图 2-83），精致白
釉画花瓷器上很少见到有严重气孔的现象。因此，从整
体上看，金元时期白釉画花瓷器在胎体上的精
细程度越来越高。

图 2-83 有严重气孔白釉画花瓷器标本·元明时期

七、杂 质

　　白釉画花瓷器胎体杂质不可避免，这是由杂质本身的特性所决定的（图2-84）。白釉画花瓷器生存状态不是很好，所以必须节省成本，用低价去竞争和生存。在外表上自然是不能落后，但在胎体的选料上，白釉画花瓷器则再也无力去选择过于优质的高岭土料。而正是由于白釉画花瓷器在选料上的普通，决定了其杂质的普遍性。基本上所有的白釉画花瓷器胎体上都有一些能够看到的杂质，只是轻微与严重的区别。这一缺陷由于并不影响到实用，所以在当时取得了人们的谅解。白釉画花瓷器在宋代那样一个名窑林立的瓷器鼎盛时代，竟然奇迹般地生存了下来，并一举崛起，最终形成了庞大的磁州窑系。下面我们来看一下具体的情况。

图 2-84 白釉画花瓷器标本·明代

（1）点状：宋元、明清时期有杂质的白釉画花瓷器数量比较多，但从杂质的形态上看，多为星星点点状（图2-85），这是一种较为轻微的杂质呈现状态。当时的老百姓生活在民窑瓷器也能生产出精美器具的美好憧憬之中。民窑从瓷器制作的各个工序都倾注了极大热情，特别是选料和淘洗上更是这样，所以，白釉画花瓷器胎体基本上还可以，没有过于粗糙的杂质显现。这种点状杂质瓷胎的数量比较丰富，因为这些点状杂质有时与胎体混合在一起看起来不是十分的清晰，就像是没有杂质一样。实际上，对于点状杂质在技术上是很难控制的，但我们可以看到白釉画花瓷器控制得非常好，不仅宋代是这样，而且在金元时期都是这样。白釉画花瓷器胎体有点状杂质的现象十分丰富，这一特点波及到了许多精品白釉画花瓷器，如磁州窑精致的白釉画花瓷器之上有时也有见（图2-86）。由此，我们可以看到白釉画花瓷器在胎体上完全没有杂质的现象似乎并不多见，可以说是偶见。

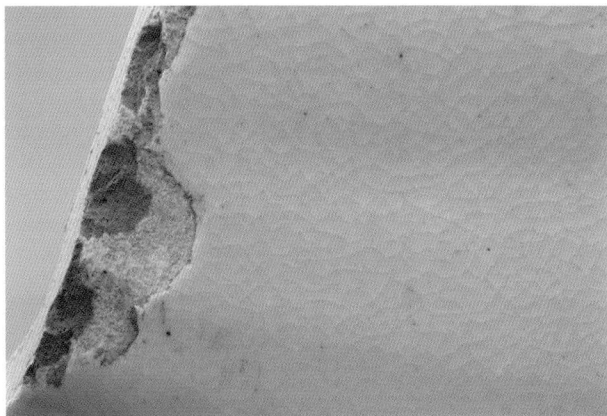

图 2-85 点状白釉画花瓷器标本·明代

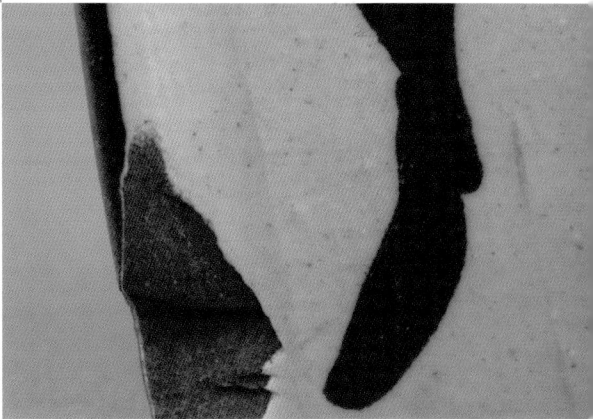

图 2-86 点状白釉画花瓷器标本·宋代

（2）粒状：在胎体上存在粒状杂质的白釉画花瓷器有见（图2-87）。从杂质的形态上看多为颗粒状的杂质，这是一种较为严重的杂质呈现状态，在宋元、明清时期都有见，但数量似乎并不是十分丰富。在宋代和金元时期，由于人们在瓷器制作的各个工序上都倾注了极大热情，特别是选料和淘洗上更是这样，所以，宋代白釉画花瓷器胎体杂质严重程度极为有限。金元时期也是这样，如磁州窑精致白釉画花瓷器上面根本不可能会出现颗粒状杂质的现象。从温度上看，颗粒状杂质的胎体一般温度较高，温度低的情况也有，但数量不是很多。从精致程度上看，通常有颗粒状砂胎的白釉画花瓷器多粗糙，很少有精致的白釉画花瓷器出现。一般情况下，由于胎体坚硬，保存都比较完好。从流行阶层上看，这种白釉画花瓷器多在普通百姓中使用，因为胎体强度比较大，所以在市井之上，百姓家中受到欢迎。但由于白釉画花瓷器粗糙的现象比较多，所以在上层社会流行的可能性很少。

图2-87 粒状杂质白釉画花瓷器标本·宋代

图 2-88 有黑粒白釉画花瓷器标本·明代

（3）黑粒：宋元、明清时期白釉画花瓷器胎体上有黑色颗粒的现象有见（图 2-88）。一般这些黑色颗粒都比较小，有的就像是一个小点似的，和胎体融合得比较紧密，如果我们不仔细看不容易看出来。这种现象从宋代就有，金元、明清时期也十分常见（图 2-89），而且是无论胎体粗细都存在这种现象，特别是从灰白色的胎体上看到的更清晰。而我们知道，灰白色胎体是宋元、明清时期胎体的主要色彩，所以从黑粒特征上看，整个白釉画花瓷器之上的情况还是较为普遍，而且灰白胎上体显现得异常清晰。

图 2-89 有黑粒的白釉画花瓷器标本·宋金时期

八、规　整

白釉画花瓷器胎体（图 2-90）以规整为显著特征。窑址、城址和墓葬中都经常出现。从概念上看，其实规整也是一场视觉盛宴，因为规整无法用弧度之类的尺寸来测量，它实际上是人们视觉上的一种感觉而已。工匠在制作时是这样，人们在观察时也是这样。从数量上看，是白釉画花瓷器在胎体上的绝对主流。从时代上看，宋代、金元、明清等时期都有见（图 2-91）。从精致程度上看也是这样，白釉画花瓷器胎体的规整程度与所对应的精致程度关系不大，几乎所有的白釉画花瓷器在胎体上都是规整的，精致、普通、粗糙的白釉画花瓷器都有涉及。

图 2-90 规整白釉画花瓷器标本·宋代

图 2-91 白釉画花瓷罐·明代

图 2-92 手感略粗白釉画花瓷器标本·宋代

九、手　感

　　白釉画花瓷器（图 2-92）以手感上比较重为显著特征。总的感觉是比视觉观测到的造型要重一些。白釉画花瓷器在胎体上的厚重感，显然与白釉画花瓷器的用料选择有关，同时也说明白釉画花瓷器从烧造理念上就没有考虑到瓷器的轻薄性。对于碗、盘等一类的器皿，在重量上可能比较轻一些（图 2-93），但与同时期同类器物造型的其他瓷器品种相比，如青瓷、白瓷等相比，显然还是厚重。我们在鉴定时应注意到这种轻重的感觉，因为感觉是一种经验，但经验的总结就是科学。

图 2-93 略轻普通白釉画花瓷碗（背面）·明代

图 2-94 白釉画花瓷器标本·明代

十、艺术品特质

　　白釉画花瓷器在胎体上所表现出的艺术品特质很明确。它首先是建立在实用的基础上的，有着深刻的生活底蕴，浓郁的民窑气息。虽然在用料上普通，但却体现出了中国人节俭的美德。降低成本的目的是为了兼济天下（图2-94），梦想是使所有的人都能用得起瓷器，实际上这是一种"大爱"的思想。在这种思想的指引下，白釉画花瓷器在技术上采取了诸多手法来弥补胎体原料选择上的不足，如精美的纹饰，以及淘洗的精炼程度等（图2-95）。除用料外，白釉画花瓷器胎体很多方面都达到了相当高的水平，如致密、匀厚、细腻、坚硬、胎色的纯正程度等（图2-96）。这样的胎体令我们感叹！实际上，人世间哪里有真正"尽善尽美"的艺术呢？而白釉画花瓷器在胎体上显然是一种真正的艺术，对于我们现代人或许有着深刻启迪。

图 2-95 白釉画花瓷器标本·宋代

图 2-96 白釉画花瓷枕标本·宋代

第三章 完 残

第一节 完 好

　　白釉画花瓷器完好无损的器皿，墓葬、窑址和城址中都有见。但从出土数量上看，主要以墓葬为主（图3-1），多为一到两件；窑址、城址出土器物众多，有的可以达到数千件，但大多数器皿都为残缺者。由此可见，墓葬和遗址中出土的白釉画花完整器皿在比例上的差距大到了何种程度。这样从总量上看，完好无损的白釉画花瓷器规模不大，数量很少。从时代上看，基本相当，没有过于规律性的特征。

图 3-1 白釉画花瓷器碗 · 明代

图 3-2 轻微残缺白釉画花瓷瓶·辽代

第二节 残 缺

一、残 缺

残缺就是瓷器不仅残，而且有缺失（图 3-2）。从程度上看，可以分为严重残缺和轻微残缺。轻微残缺的白釉画花瓷器比较多见，一般是指残的不严重、缺失的部分不多，如口部少了一块等，一般可以复原。这得宜于白釉画花瓷器较厚的胎体，高温的坚固性。但一旦外力过大，可能就是粉身碎骨，支离破碎（图 3-3）。因此，从总量上看，轻微残缺在数量上不占优势。严重残缺的情况比较多，以窑址、城址出土为显著特征，有的偌大的一个器物仅仅剩下了手掌心那么大的一块（图 3-4），特别是碗、盘等器皿碎的程度比较严重。从数量上看，严重残缺的器皿几乎占到整个白釉画花瓷器遗存的大部（图 3-5）。

图 3-3 白釉画花瓷器标本·明代

图 3-4 白釉画花瓷器标本・宋代

图 3-5 严重残缺白釉画花瓷器标本・元明时期

二、复 原

白釉画花瓷器中可以复原的器皿常见（图 3-6）。从概念上看，复原就是可以恢复原样的残器。我们先来看自然复原，如一堆碎片，将其拼接成一件完整的器皿，恢复其原有的造型，这样的复原显然就是自然复原。模具复原是指必须借助模具才能将器物复原的情况。这种复原显然有一定的条件限定，一般口沿到腹部以及底足的标本有联接（图 3-7），这样的造型如果是对称的，那么通过模具完全可以拼合。在数量上，这类器皿时常有见。从时代上看，各个时代都有见，并没有过于规律性的特征。由此可见，可复原器显然是白釉画花瓷器的重要组成部分。

图 3-7 白釉画花瓷器标本·宋代

图 3-6 白釉画花
草叶纹标本·宋代

三、缺失与裂缝

　　缺失顾名思义就是有残缺的白釉画花瓷器，残缺部分无法找到不能复原。这类白釉画花瓷器数量众多（图3-8），墓葬、窑址和城址内都有见。裂缝在白釉画花瓷器中常见（图3-9）。裂缝形成的原因很多，多是为外力作用的结果。一般情况下，瓷器经受不住巨大的震动而产生裂缝，从而使瓷器胎体分离。但对于白釉画花瓷器而言，因为胎体很坚固，所以一般的外力和震动不足以让其胎体断裂分离，而只有受到了较大外力的作用才会这样。所以，有裂缝的白釉画花瓷器多数可能只有一种情况（图3-10），这就是支离破碎的情况。因此多数情况下，白釉画花瓷器开裂时就是一堆碎片，但是经过拼合可以复原其造型。当然也有仅有底和口沿的标本，当我们复原后

图3-8 缺失白釉画花瓷器标本·宋代

图3-9 有裂缝的白釉画花瓷器碗·明代

图 3-10 白釉画花瓷器诗文枕·宋代

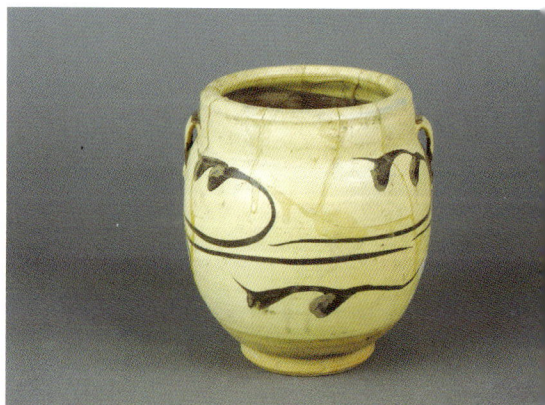

图 3-11 有裂缝的白釉画花瓷罐·明代

也可以看到裂缝的存在。因此缺失与裂缝区别主要是缺失的器皿不能复原,而有裂缝的器皿多数可以复原。可以这样讲,我们现在能够见到的大多数白釉画花完整器皿都是有裂缝者(图 3-11),这类白釉画花瓷器的裂缝在博物馆的陈列中可以看得非常清楚。但还有一种裂缝,我们看不到,这就是商业修复后的有裂缝的情况。经过调色做旧将裂缝掩盖,好像是完好无损。对于这类瓷器,我们鉴别的方法主要有两种:一是听声音;二是做检测。完好无损的白釉画花瓷器叩之可发出清脆悦耳的金属声,但如果是有裂缝的情况,即使外表看起来非常好,但是敲击的声音是沙哑的(图 3-12)。做检测是近年来兴起的一种方法,借助仪器看到胎内的一些情况,许多光学仪器都可以实现,这种方法较为科学,鉴定时我们应多进行检测。

图 3-12 白釉画花瓷碗标本·宋代

四、变 形

白釉画花瓷器造型质朴而不俗，可以制作出众多高难度和复杂的造型，如仅枕的造型就有八角、如意、银锭、长方、束腰、鸡心、花瓣等，可见其造型之复杂，将造型艺术发挥得淋漓尽致。由此可见，白釉画花瓷器在造型上不仅技术高，而且态度认真，对于每一件器物的烧造，从选料、淘洗到胎体厚薄设计、成型等诸多方面都是精益求精，所以在成型上几乎没有任何问题，变形器很少见。从时代上看，各个历史时期都有见（图3-13），没有过于复杂的特征。从窑口上看，特征较为明确，无论是磁州窑还是其他的窑口所烧造的白釉画花瓷器中都很少见到变形器。从精致程度上看，特征明确，精致瓷器基本不见；粗糙和普通的器皿偶见。

图 3-13 略有变形的白釉画花瓷器标本·明代

图 3-15 有土蚀白釉画
花瓷器标本·元代

图 3-14 土蚀严重白釉
画花瓷器标本·宋代

图 3-16 土蚀较轻微的白釉
画花瓷器标本·明代

五、土 蚀

　　白釉画花瓷器上面有土蚀的情况很常见（图 3-14），在数量上墓葬、窑址和城址内都有出土，墓葬出土偶见一到两件。在总量上规模比较大，几乎所有的白釉画花瓷器之上都或多或少存在土蚀的特征，这主要与白釉画花瓷器往往不是施全釉，多使用白色化妆土装饰的特征有关，如瓷枕之上大面积地施加白色化妆土，而这种化妆土最容易受到土蚀的影响（图 3-15）。由此可见，土蚀不是一种窑内缺陷，它是在后天由于保存环境的不同所造成的。土蚀的严重程度主要是受到保存环境的影响，如遗址当中白釉画花瓷器由于叠压在土壤当中，受到土蚀的情况就比较严重，数量也最多，而墓葬当中白釉画花瓷器由于有一个相对独立的环境空间，所以受到土蚀的情况不是很严重。受到土蚀最轻微的显然还是传世品，如明清时期传世下来的白釉画花瓷器基本上没有土蚀。从地域上看，我国南方地区的土蚀往往较为严重，如南京、上海等地出土的白釉画花瓷器之上的土蚀异常严重，这主要是受到南方潮湿气候的影响；而北方地区的白釉画花瓷器在土蚀上要好得多，北方地区如河南、山西等地出土的白釉画花瓷器有土蚀，但不是很严重（图 3-16）。鉴定时应注意分辨。

图 3-19 口部有磕碰的白釉画花瓷器标本·宋代

六、磕 伤

　　（图 3-17）磕伤，顾名思义就是磕碰而形成的痕迹。理论上所有的瓷器都有可能受到磕伤，如口磕、足磕、沿部磕痕等都常见（图 3-18），这对于实用器来讲是不可避免的。不过这种磕碰通常比较轻微。从器形上看，白釉画花瓷器中的大器受到磕碰的痕迹不是很严重，因为器形硕大，在日常生活当中主要作为陈设或者是储藏的器皿存在，很少被移动，所以受到磕伤的几率也小，而小的器物造型如碗、盘、碟等受到轻微磕碰的现象普遍，由于并未影响其使用功能，在当时仍旧可以继续使用（图 3-19）。从功能上看，有些明显具有陈设装饰功能的器皿轻微磕碰的情况比较少，如花瓶很明显是陈设于厅堂之上的器皿，功能并不是像碗盘一样很容易受到伤害。至于人们今天对这类器物的伤害（茬口）多是新茬，新茬是一种残缺，对于价值的影响比较的大，特别是对于经济价值的影响是致命的。

图 3-18 口部有磕碰的白釉画花瓷器标本·金代　　图 3-17 磕伤严重的白釉画花瓷器标本·明代

第四章 釉 质

图 4-2 雪白釉画花瓷器标本·宋代

第一节 釉 色

白釉画花瓷器在釉色上显然没有脱离白瓷的影响（图 4-1），实际上就是在白色的化妆土上绘画，然后罩上一层透明釉，之后入窑烧造，最终呈现出白釉画花的图案。但对于白釉画花瓷器这一巨大民窑产品类别来讲，很多情况下在概念上是复杂的。很多情况下在釉质上往往达不到概念的要求，透明釉也不是很明显，就是各种传统白釉的色彩，如雪白、纯白、猪油白、灰白等等这些釉色都有见，这是白釉画花瓷器的一大特色。我们在鉴定时应注意分辨。下面我们具体来看一看。

一、雪白釉

雪白釉色的白釉画花瓷器（图 4-2）件数特征多为一到两件，总量很小，几乎可以忽略不计，但通常都是精品力作。从色彩上看，这类釉色目的显然是要模仿邢窑白瓷的效果，工艺精湛，材料使用等各方面都比较好。从时代上看，主要以宋代为多见，金元、明清时期很少见。从窑口上看，以宋代磁州窑为显著特征，窑系产品中很少见。如河南禹县扒村窑，山西介休窑、浑源窑、大同窑等生产的白釉画花瓷器很少见。其光泽淡雅、柔和，多数通体闪烁着非金属的油脂性光泽。雪白釉的白釉画花瓷器与精品瓷器关系密切，以精致瓷器为主。

图 4-1 白釉画花瓷器标本·明代

图 4-3 黄白釉画花瓷器标本·明代

二、黄白釉

黄白釉的白釉画花瓷器时常可以看到，墓葬、窑址和城址内多有见（图 4-3），在数量上居于统治地位。黄白釉并非真正意义上的黄白，其显著特点是非常稀薄，通透性比较好，丝毫不会影响到釉下画花的显现。从时代上看，黄白釉的白釉画花瓷器各个历史时期都有见（图 4-4），没有过于规律性的特征。从窑口上看，各个窑口都有见，光泽淡雅、柔和，油性光泽浓郁。在精致程度上，黄白釉的白釉画花瓷器不是很鲜明，精致、普通、粗糙者都有见。

图 4-4 黄白釉画花瓷碗·元代

三、灰白釉

灰白釉的白釉画花瓷器（图 4-5）墓葬和遗址内常有见，为白釉画花瓷器在釉色上的主流色调之一。从色彩上看，灰白釉的白釉画花瓷器色彩逐渐偏向了灰色，釉质非常稀薄。实质上这种偏色并不会影响到白釉画花瓷器纹饰的呈现。灰白釉的白釉画花瓷器在各个历史时期都有见（图 4-6），主要以金元、明清为多见。从窑口上看，特征不明显，基本上各个窑场都有烧造。从光泽上看，灰白釉的白釉画花瓷器显现出浓郁的民间窑场风格，虽然光泽略显黯淡，但看上去已接近柔和，伴随着油脂的光泽，精美绝伦。从精致程度上看，灰白釉的白釉画花瓷器基本与精致瓷器无缘，主要是在普通和粗糙的瓷器上为多见。

图 4-5 灰白釉画花瓷器标本·宋元时期

图 4-6 灰白釉画花瓷器标本·金代

四、乳白釉

乳白釉的白釉画花瓷器（图 4-7）总量不大，但应为白釉画花瓷器釉色中的重要品类之一。从色彩上看，乳白釉本为唐代邢窑中的重要色彩类别，像乳汁一样的白色，故名为乳白。这种色彩具有较强的生命气息，非常具有亲切感，所以被白釉画花瓷器这样的民窑瓷器广为模仿。白釉画花瓷器模仿出了亦真亦幻的乳白釉色。从时代上看，乳白釉白釉画花瓷器各个时代都有见，但以宋代最多，元明清等次之。从窑口上看，乳白釉的白釉画花瓷器不仅仅是磁州窑有烧造，其他窑系的窑场也有烧造，并没有过于规律性的特征。从光泽上看，乳白釉的白釉画花瓷器光泽淡雅、滋润，如涓涓溪流的母乳在弱光泽照射下的色彩，柔和，非金属光泽浓郁。从精致程度上看，以精致瓷器为主，普通和粗糙的瓷器当中也有见（图 4-8）。

图 4-7 乳白釉画花瓷器标本·宋代

图 4-8 乳白釉画花瓷器标本·宋代

第二节 釉质特征

一、开 片

　　开片是瓷器釉面在烧造过程当中出现的裂纹（图4-9），无规律地排列着，为窑内缺陷的一种，视觉概念，并不影响实用。白釉画花瓷器开片常见。从形状上看，白釉画花瓷器开片形状微观看来无序，无相同者，但宏观上有大体形状之分，如大开片、小开片、稀疏开片、细碎开片等。不过，通过文物观测来看，白釉画花瓷器对于开片显然是进行了一些控制，但从根本上并不避讳各种开片的存在。从时代、窑口上都没有过于紧密性的特征，只是在精致程度上看特征明确。精致的瓷器显然对开片进行了控制，很少见到开片的出现；而普通和粗糙的瓷器这种控制的程度逐渐下降。普通白釉画花瓷器之上基本上都有开片，只是开片的大小不同而已。

图4-9 开片清晰的白釉画花瓷器标本·明代

图 4-10 薄釉白釉画花瓷碗·明代

二、厚　薄

　　白釉画花瓷器釉质厚薄概念十分清晰，以薄釉为主（图 4-10），厚釉的情况很少见。虽然仿邢窑的雪白、猪油白等釉质，但只仿其釉色，并不仿釉层的厚度。总的来看，以较薄釉和薄釉为显著特征，这与其浓郁的民间窑场性质有关，目的是最大限度地节约成本。从时代上看，白釉画花瓷器釉质厚薄时代特征较为模糊（图 4-11），宋元、明清时期基本上都相似，没有过于规律性的特征。这一点我们在鉴定时应注意分辨。从窑口上看，无论是磁州窑，还是磁州窑系之间各窑场，如河南汤阴窑、郏县窑、禹县扒村窑、山西霍县窑、介休窑，陕西铜川窑等，在厚薄特征上都是相似的。这一点也很容易理解，因为磁州窑是一个窑系，仿烧这类白釉画花瓷器的窑场在烧造技术上深受主窑场的影响。从精致程度上看，白釉画花瓷器在釉层上的厚薄与精致程度的关系并不明确，精致、普通、粗糙的器皿之上都有见（图 4-12）。下面我们具体来看一下。

图 4-11 薄釉白釉画花瓷器标本·金代　　　　　图 4-12 普通釉层较薄的白釉画花瓷器标本·明代

（1）从较薄釉上鉴定：较薄釉的白釉画花瓷器是宋元、明清时期在釉质特征上的主流。从宋代到明清时期，这种釉质的白釉画花瓷器不胜枚举，数量众多（图4-13），绝大多数瓷器都是这样。但从绝对数量上来讲，宋代可能还要多一些，因为宋代在制瓷技术和态度上处于瓷器烧造的鼎盛期，从品种和胎釉的厚薄上都十分稳定。而到了金代，由于瓷器品种和窑口的增多，这一特征略微复杂了一些，当然白釉画花瓷器还坚持较薄釉特征。而元代白釉画花瓷器有时却显得过于薄，而且一个窑口内在厚薄特征上不是很稳定。磁州窑白釉画花瓷器就是这样，精致和普通的白釉画花瓷器在釉质上以较薄釉为主（图4-14）；但是有些粗糙的白釉画花瓷器在厚薄上就不是很稳定，有的釉质呈现出更薄的特征。而这些都需要我们在实践中冷静地进行判断。总之，较薄釉质特征已经成为宋元、明清时期白釉画花瓷器的主流特征。

图 4-13 釉层较薄白釉画花瓷器标本·明代

图 4-14 釉层较薄白釉画花瓷器标本·宋代

图 4-15 薄釉白釉画花瓷器标本·宋代

（2）从薄釉上鉴定：宋元、明清时期薄釉的白釉画花瓷器（图 4-15）数量不是很多，特别是在早期更是这样。在宋代，釉质特别薄的瓷器几乎不存在。到了金元时期有见一些薄釉的白釉画花瓷器，但显然并非主流，多见的是一些乡村级窑场烧造的瓷器是这样，如在釉色不是很纯正的泛黄的白釉画花瓷器上我们常可以看到相当薄的釉质，虽然隔着黄色的釉层，但依然如透明一般。元代白釉画花瓷器上的釉质有时也相当的薄（图 4-16），显然已不是为了显现釉下的纹饰这样纯粹，其多半的目的是为了进一步节省成本，所以将釉层变得异常的薄。

图 4-16 薄釉白釉画花瓷器标本·元明时期

三、均 匀

宋元、明清时期，白釉画花瓷器在釉层的厚薄上可以分为均匀和不均匀两种情况。早期釉层多均匀，如在宋代就很少见到釉层不均匀的白釉画花瓷器（图4-17）。而金元时期釉层不均的白釉画花瓷器数量有所增加，可以常见到，从数量上来讲已经较为普遍。到了明清时期，多数白釉画花瓷器在釉层上基本上均匀，从施釉均匀程度上看已经较为成熟，很少见到施釉不均匀的白釉画花瓷器（图4-18）。从精致程度上看，精致瓷器釉质均匀，很少见到釉质不匀者；但粗糙的瓷器在釉质上都不均匀。由此可见，白釉画花瓷器在釉层的均匀程度上虽然技术已经成熟，但釉层是否要制作得均匀还要受到瓷器精致程度等因素的影响。

图4-17 釉层均匀白釉画花瓷器标本·宋代

图4-18 施釉均匀白釉画花瓷器标本·明代

四、流 釉

在烧成的白釉画花瓷器上留有釉质流动的痕迹称为流釉。流釉在白釉画花瓷器上（图 4-19）有一定的量。从程度上看，白釉画花瓷器在流釉程度上常见轻微流釉和严重流釉的情况，而判断的标准取决于我们的视觉。从部位上看，流釉较为复杂，主要是以近底足处流釉为主，因为这比较符合釉层在高温下为液体流动的规律，是自上而下的一个过程（图 4-20）。但是现实的情况也很复杂，我们在鉴定时要注意分辨。从时代上看，各个时代都有见，并没有过于规律性的特征，从窑口上看也是这样。在精致程度上，白釉画花瓷器流釉严重者多出现在普通和粗糙的器皿之上，而在精致的瓷器之上很少见到。下面我们具体来看一看。

图 4-19 有流釉的白釉画花瓷碗·明代

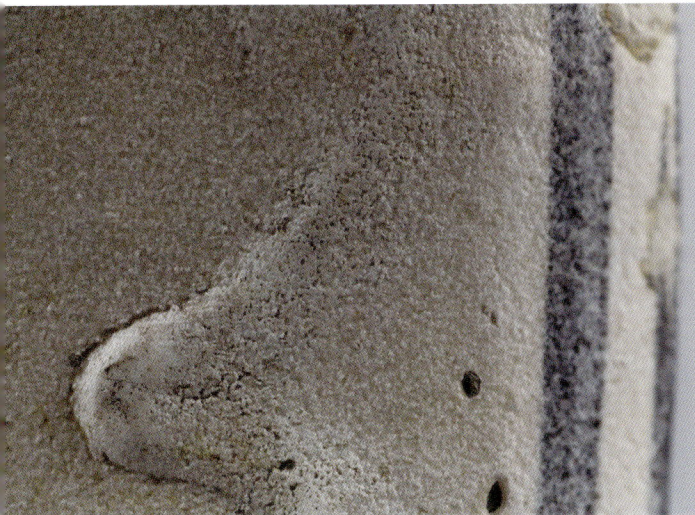

图 4-20 有流釉的白釉画花瓷器标本·金代

1. 精致瓷器

白釉画花瓷器流釉情况时有发生，宋代流釉的白釉画花瓷器常见（图 4-21），而且流釉较为严重，从发掘出土的白釉画花瓷器比较来看也是这样，与精致程度关系密切。宋代磁州窑当中的精致白釉画花瓷器上基本杜绝了流釉现象。同样在宋代一些白如雪的白瓷上也没有流釉现象的存在，这是一种主流的趋势。但这并不是说精致的白釉画花瓷器在流釉上能够全部避免，因为我们发现在宋元、明清时期有些精致的白釉画花瓷器似乎并不在意有流釉发生，典型的例子如宋代其他窑址的许多十分精致的白釉画花瓷器之上，可以很明显地看到釉质自上而下流动的过程（图 4-22）。不过，总的来看，这种情况不是很多。看来流釉显然不是宋元、明清时期精致瓷白釉画花瓷器上的主流特征。

图 4-21 明显微有流釉痕迹白釉画花瓷器标本·明代

图 4-22 有流釉白釉画花瓷器标本·宋代

2.普通瓷器

宋元、明清时期普通白釉画花瓷器上流釉现象经常可以看到（图4-23），其比例要比精致白釉画花瓷器高许多，而且没有特定的规律。许多白釉画花瓷器流釉现象发生得很突然。有时，我们看到一件白釉画花瓷器很匀净，但转过来一看也许就会发现，有很小一块地方有流釉现象。看来在宋元、明清时期人们应该是不避讳这种缺陷。从数量上看，各个时期数量都很多，而且数量也较为均衡，没有太大的规律可循。但有时我们也可以看到有一些普通白釉画花瓷器上十分光洁（图4-24），几乎没有流釉现象发生，但这种情况不是很常见。

图 4-24 有流釉白釉画花瓷器标本·宋代

图 4-23 有流釉白釉画花瓷器标本·宋代

图 4-25 有流釉粗瓷白釉画花标本·宋金时期

3.粗糙瓷器

宋元、明清时期粗糙白釉画花瓷器上流釉异常严重（图 4-25），粗糙的白釉画花瓷器在宋元、明清时期数量都很多，从技术上从来不避免流釉现象的发生，典型的如各地发现的粗糙白釉画花瓷器基本上都有流釉现象，而且有些流釉十分严重，有大的泪痕出现，从整个白釉画花瓷器存在的时期上看，粗瓷白釉画花瓷器在流釉上的发生率相当高（图 4-26），没有流釉的粗糙白釉画花瓷器只是偶见。

图 4-26 有流釉粗瓷白釉画花标本·辽代

4. 从泪痕上鉴定

泪痕是釉质自上而下流动过程中形成的痕迹，就像眼泪一样，故而得名（图4-27）。宋元、明清时期白釉画花瓷器上经常可以看到这种由于流釉而形成的泪痕。不过在白釉画花瓷器上形成的泪痕一般情况下较为轻微，也有比较严重的泪痕，形成了明显的珠状，但泪痕的形成都是自上而下的过程，最终在流釉的终结处形成聚釉，没有无缘无故的泪痕。有些伪作的白釉画花瓷器之上，往往对于泪痕无法把握，泪痕出现得十分突然，这一点我们在鉴定时要引起注意。

5. 从蜡泪痕上鉴定

蜡泪痕说的是像蜡烛一样的泪痕，有不同的称谓，有时也称其为烛泪痕。宋元、明清时期的白釉画花瓷器之上常见这种蜡泪痕，蜡泪痕与普通泪痕的区别主要是蜡泪痕较大，而且往往呈现出像蜡一样的黄褐等色彩，但这种色彩有时表现得并不明显，蜡泪痕白釉画花瓷器在金元时期常见（图4-28），但显然不流行。

图 4-27 有泪痕白釉画花瓷器标本·金代

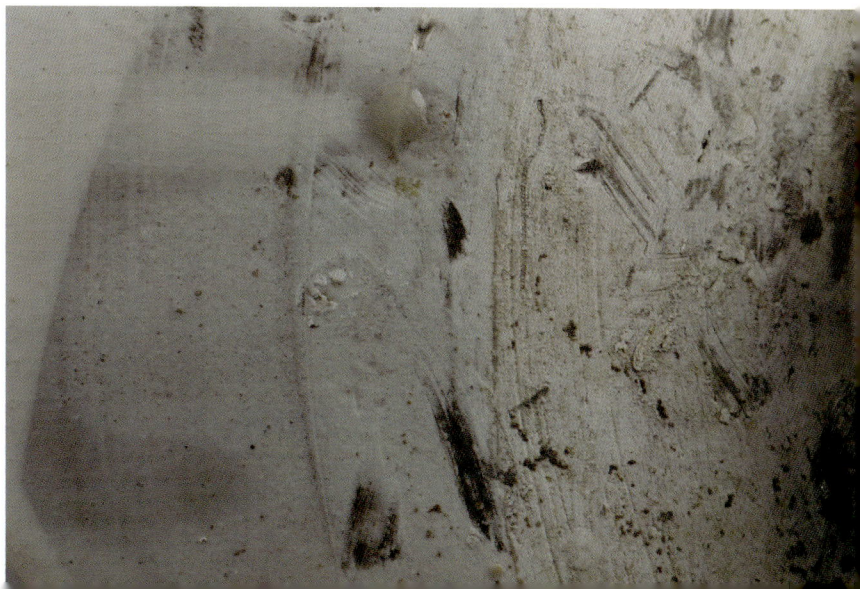

图 4-28 蜡泪痕白釉画花瓷器标本·宋代

6.从垂釉痕迹上鉴定

宋元、明清时期白釉画花瓷器上有垂釉痕迹的数量不在少数。这种垂釉与泪痕有相似之处（图4-29），有时还十分相像，但最根本的区别是垂釉不是以泪痕的形式来表现，而多是以不规则的形状下垂，一般都是流釉现象较为严重才会出现垂釉。有的垂釉巨大，是一种大流釉（图4-30），有时用手可以清晰地感觉到。垂釉痕迹白釉画花瓷器在宋代并不是很多，主要集中在元代瓷器之上。这与元代极为衰落的制瓷技术和烧造态度有关。

图4-30 垂釉白釉画花瓷器标本·金代

图4-29 垂釉白釉画花瓷器标本·金代

图 4-31 有杂质白釉画花瓷器标本·元明时期

五、杂 质

白釉画花瓷器釉面上有杂质的情况常见（图 4-31）。杂质是一种缺陷，从理论上说，没有杂质的釉质是不存在的。总体来看白釉画花瓷器釉面杂质还是比较严重，特征也较为复杂。从程度上看，白釉画花瓷器杂质根据其严重程度的不同，可以分为匀净、轻微、严重三个级别（图 4-32）。匀净的白釉画花瓷器看不到任何杂质；轻微杂质表现复杂，如局部性、星点状，看起来并不是很明显；严重杂质人们很容易看出来，具有颗粒较大、分布广、密集等特点。从时代上看，没有过于鲜明的特征，各个时代都有见。从窑口上看也是这样。主要与精致程度有着密切的关系，在精致的白釉画花瓷器之上很少见到严重的杂质。鉴定时要注意分辨。具体我们来看一下。

图 4-32 有杂质白釉画花瓷器标本·宋代

图 4-34 有严重杂质白釉画花瓷器标本·宋元时期

1. 从严重杂质上鉴定

有严重杂质的白釉画花瓷器数量不是很多（图 4-33）。从时代上看，宋代较为严重的杂质不是很多，乡村级窑场有较为严重杂质的现象逐渐在减少。但金元时期，特别是元代，白釉画花瓷器上有严重杂质的情况加剧。无论是哪个窑场烧造的白釉画花瓷器，都有较多杂质严重的现象。宋代严重杂质的白釉画花瓷器逐步被局限到了粗糙瓷器之上，精美的磁州窑白釉画花瓷器上基本没有。从色彩上看，宋代有严重杂质的现象进一步被局限，仿邢窑白瓷釉色的白釉画花瓷器上很少能够见到严重杂质的现象；而多出现在一些极为粗糙的白釉画花瓷器之上，像民间土窑烧造的黄白釉粗瓷白釉画花瓷器等（图 4-34），釉质上的杂质就特别严重，几乎全部都是星点状的色彩不同的杂质。

图 4-33 有严重杂质白釉画花瓷器标本·金代

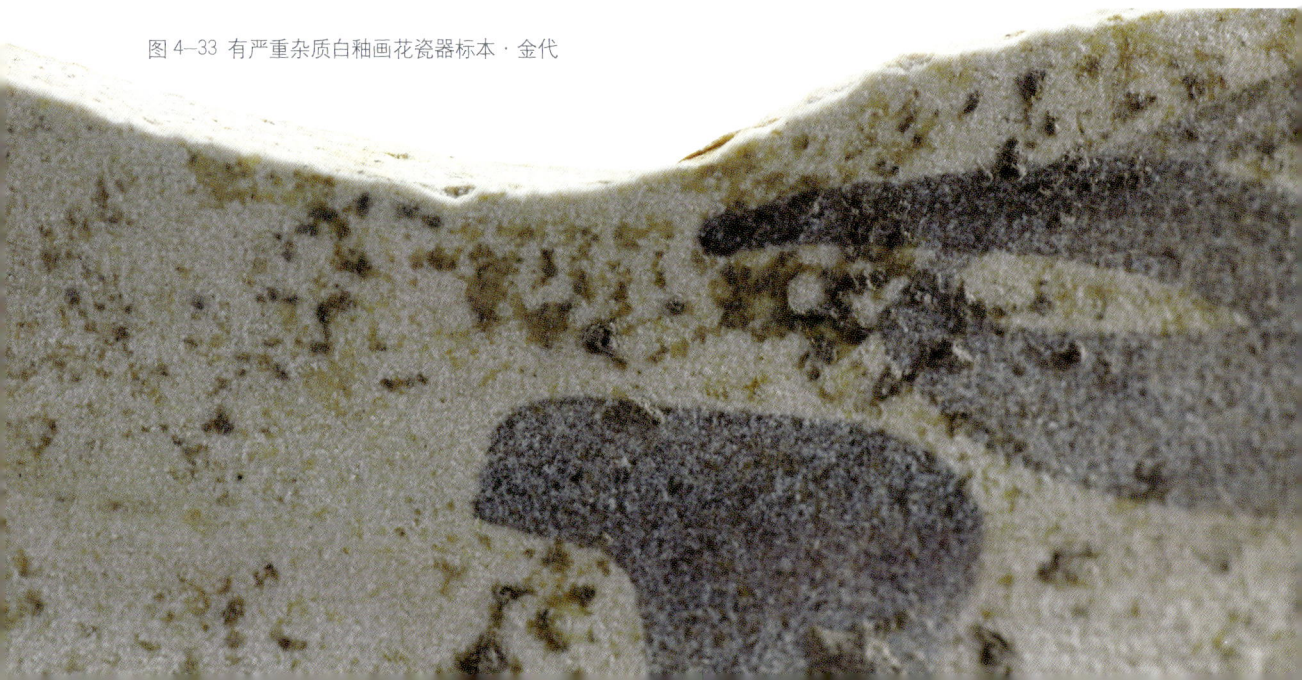

图 4-35 微有杂质白釉画花瓷器标本 · 明代

图 4-36 微有杂质白釉画花瓷器标本 · 宋代

2. 从微有杂质上鉴定

宋元、明清时期微有杂质的白釉画花瓷器从总量上看规模最大（图 4-35）。实际上，在白釉画花瓷器产生之时，微有杂质的白釉画花瓷器在数量上已经超出了有严重杂质的，但这一点表现得不太明显。而到了宋代，这一现象逐步变得清晰，绝大多数白釉画花瓷器，如磁州窑部分白釉画花瓷器，介休窑、密县窑等窑口生产的普通白釉画花瓷器大多釉质上面只是微有杂质（图 4-36），整个白釉画花瓷器的釉面只是零星地存在着星星点点，但基本不影响瓷器的美观。如果不仔细观察，人们很难发现釉面上的杂质。明清时期微有杂质的白釉画花瓷器在数量上更是占据了主导地位，而且从精致程度上也有进一步的提高。很多明清的白釉画花瓷器看上去感觉比较好，只是当我们特别仔细观察时才会发现里面的微小杂质（图 4-37）。总之，微有杂质的白釉画花瓷器成为了一种时尚。

图 4-37 微有杂质白釉画花瓷器标本 · 明代

图 4-38 釉面匀净白釉画花瓷器标本·宋代　　图 4-39 釉面匀净白釉画花瓷器标本·宋代

3. 从釉面匀净上鉴定

宋元、明清时期白釉画花瓷器精致化的程度不断加大，宋代釉面匀净的白釉画花瓷器真的是很少见，多数白釉画花瓷器上都有轻微的杂质。由此可见，釉面匀净显然是局限在一个很小的范围之内，如磁州窑精致白釉画花瓷器和其他窑口的一些精致白釉画花瓷器之上有见（图 4-38）。这些白釉画花瓷器在釉质上即使我们很仔细地观察也很难发现有零星的杂质。原因是，精致的白釉画花瓷器比较讲究釉面的纯净性，这也是宋代精致白釉画花瓷器与普通白釉画花瓷器重要的区别性特征之一。这说明白釉画花瓷器釉面的匀净与白釉画花瓷器的精致程度有着密切关联。但宋代釉面匀净的白釉画花瓷器真的是太少了（图 4-39）。金代精致白釉画花瓷器在数量上进一步减少，磁州窑基本延续了宋代，在釉质上匀净化的程度进一步下降。宋代还产生了著名的定窑烧造的白釉画花瓷器，精致者釉面都匀净；但是入金后也很少见到釉面匀净者。元代更是少见。明清时期的白釉画花瓷器在釉质的洁净程度上也没有向着好的方向发展，从绝对数量上看依然属于少数。

图 4-40 光泽淡雅白釉画花瓷器标本·明代

六、光 泽

中国古代白釉画花瓷器在光泽上特征比较明确，整体光泽较为淡雅，油性光泽浓郁，多数通体闪烁着淡雅的非金属光泽（图 4-40）。从时代特征上看，以宋代白釉画花瓷器的光泽特征最为丰富，光泽感最好。但显然还达不到官汝窑瓷器的水平，只是与民窑瓷器相比而言。金元明清时期，在光泽特征上基本上处于稳定期（图 4-41），没有过于特别的表现，但也很少见光泽上的问题。具体我们来看一下。

图 4-41 光泽淡雅白釉画花瓷器标本·宋代

图 4-42 光泽润泽白釉画花瓷器标本·元明时期

图 4-43 光泽润泽白釉画花瓷器标本·明代

1. 从光泽润泽上鉴定

　　瓷器由于施釉的特征造就了白釉画花瓷器的光泽性。从理论上讲，除了素胎外，其他所有的瓷器都有光泽（图 4-42）。不同的瓷器有不同的光泽，有的光亮、有的黯淡，而且从时代上看，越早的瓷器由于受到了岁月剥蚀，所以光泽越弱，而时代越晚的瓷器则反之。但这并不是绝对的规律，还要根据具体的瓷器种类来分析。如白釉画花瓷器的光泽感无论时代早晚都不会有过亮的情况（图 4-43）。宋元、明清时期的白釉画花瓷器由于时代距离现代较长，釉质在光泽上已经失去了闪烁反光的阶段，看起来十分润泽。这种莹润的感觉显然是不同阶段白釉画花瓷器在光泽上的主要特征（图 4-44）。

图 4-44 光泽润泽白釉画花瓷器标本·宋代

2. 从釉面光亮上鉴定

宋元、明清时期釉面光亮的白釉画花瓷器数量比较多，可以说是较为主流的特征。大多数白釉画花瓷器在釉质光泽上都是表现出了润泽光亮的特征。但宋元、明清时期白釉画花瓷器在釉面光亮上的特征已经脱离了反光的特征（图4-45）。这是因为白釉画花瓷器经过长时间的岁月剥蚀，虽然有光亮，但发出的光亮度十分有限。可以这样讲，如果宋元、明清时期有十分光亮、可以达到强反光的白釉画花瓷器，那么基本上就可以确定为伪器。从釉色上看，白釉画花瓷器的釉面光亮度要高一些，特别是模仿邢窑"白如雪"的精致白釉画花瓷器的亮度很高，具有相当的光亮度。而普通白釉画花瓷器的光亮度则较弱（图4-46）。有很多白釉画花瓷器在失去了反光后，光泽亮度相当暗。

图4-45 釉面光亮白釉画花瓷器标本·宋代

图4-46 釉面光亮白釉画花瓷器
标本·明代

3.从釉面黯淡上鉴定

釉面黯淡的白釉画花瓷器数量不是很多。从时代上看，并不是宋代距离现代时间较久远，所以釉面黯淡者多（图4-47），反而是宋代的白釉画花瓷器釉面光泽程度都比较好；金元时期釉面黯淡的白釉画花瓷器从总量上有一定的增加（图4-48），主要是一些白釉画花瓷器在釉面上的色彩不纯净所导致的黯淡；明清时期基本上延续了金元时期的特征。

图 4-47 光泽黯淡白釉画花瓷器标本·宋金时期

图 4-48 光泽黯淡白釉画花瓷器标本·元明时期

图 4-49 油性光泽浓郁白釉画花瓷器标本·金元时期

4. 从油脂光泽上鉴定

　　油脂光泽是宋元、明清时期白釉画花瓷器上最常见的光泽。看起来像脂肪一样的光泽在这一时期十分流行（图 4-49）。但不同的瓷器看起来油脂性光泽有很大的区别。其中，白釉画花瓷器表现得最为明显。著名的磁州窑白釉画花瓷器在其较厚的釉质上所产生的釉质光泽十分鲜明（图 4-50），成为这一时期油脂光泽的代表。而其他釉质的白釉画花瓷器在油脂光泽上表现出的则是十分黯淡，油性光泽十分有限。

图 4-50 油性光泽浓郁白釉画花瓷器标本·元代

七、胎 釉

白釉画花瓷器胎体剥离的现象有见（图4-51），这与其深度民间窑场烧造和深度民窑产品的性质有关。由于成本等条件的限制，白釉画花瓷器经常是"巧妇难为无米之炊"在胎釉结合上出现问题。不过显然不是很严重，也很少见。绝大多数白釉画花瓷器在胎釉的结合上都没有问题，这一点显而易见。下面我们具体来看一下。

图4-51 胎釉结合良好白釉画花瓷器标本·明代

1. 从胎釉结合上鉴定

宋代，由于白釉画花瓷器上基本都施加了化妆土，所以虽然有胎釉剥离的现象，但很少见（图4-52）。但在金元时期，有的白釉画花瓷器虽然施了化妆土，可是胎釉结合的情况还是不理想。从现在发掘的情况来看，釉层剥落的现象有所增加。明清时期随着化妆土技术的成熟和稳定，以及瓷器对于精致化追求的不断提高，白釉画花瓷器在胎釉结合上表现得比较好，多数白釉画花瓷器胎釉结合良好，有些看上去十分粗糙的白釉画花瓷器（图4-53），在胎釉结合上也都非常好。

2. 从落渣上鉴定

　　宋代白釉画花瓷器时常有见落渣的现象，这些落渣上有时带着流落的釉质。落渣的现象并不是宋代白釉画花瓷器特有的现象，其他时代的瓷器之上也时常有这种情况发生。宋代有落渣的现象并不是很多，但也较为多见，特别是一些黄釉瓷器底部常有这种现象。落渣有时很大，一般还很坚固，如果强行掰开，可能会对瓷器造成损害，但有时经过一段时间后，也会自然的分离，这是一种非常正常的现象，收藏者不必惊慌。

图 4-52 胎釉结合良好白釉画花瓷器标本·宋代

图 4-53 白釉画花瓷器标本·明代

图 4-54 有斑块白釉
画花瓷器标本·明代

八、斑 块

宋元、明清时期白釉画花瓷器上斑块的现象十分常见（图4-54）。这些斑块有轻微和严重之分。一般情况下都是零星地分散在白釉画花瓷器局部，斑块的色彩多以黑色为多，也有其他棕、褐、黄、白等斑块，分布几乎没有规律可循。这些斑块看起来不很明显，如果不仔细看似乎并不影响白釉画花瓷器的观赏价值。严重的情况是在整个胎釉结合部有相当多星星点点的斑块存在，无论我们在不在意都会注意到。从宋元、明清时期白釉画花瓷器斑块来看，元代较为严重，有很多瓷器上都有较多的斑块；明清时期情况有一定的好转，但在一些粗糙的瓷器之上表现还是较为严重。从精致程度上看，以宋代为显著特征，宋代随着白釉画花瓷器胎体、化妆土、施釉技术上的精细化程度，白釉画花瓷器胎釉上斑块也呈现出逐渐减少的趋势，一些特别精致的白釉画花瓷器之上几乎不见有各色斑块存在。但普通的白釉画花瓷器和粗糙的白釉画花瓷器之上依然可以看到斑块的身影。斑块显然已经成为我们鉴定这一时期白釉画花瓷器的重要特征。如果发现这一时期较为粗糙的白釉画花瓷器上面没有一点斑块，那么就很有可能是伪器；反过来，如果发现很精致的白釉画花瓷器上有太多的斑块，那么这显然也是与时代特征不符。

九、稀 稠

宋元、明清白釉画花瓷器在釉质上以稀薄为显著特征（图4-55）。这是宋元、明清白釉画花瓷器在釉质上的重要特征，我们在鉴定时要注意分辨。下面我们具体来看一下。

1. 从通透性上鉴定

白釉画花瓷器釉质稀薄者（图4-56）墓葬和遗址内均大量有见，为白釉画花瓷器在釉质特征上的主流。鉴定时应特别注意这一点。釉质稀薄的白釉画花瓷器在通透性上非常好，视线不受到阻碍，可以很清楚地看到画花，若隐若现的情况不见。

图 4-55 薄釉白釉画花瓷器标本·宋代

图 4-56 通透性较好白釉画花瓷器标本·宋代

图 4-58 磁州窑白釉画花瓷枕标本·宋代

图 4-59 普通白釉画花瓷器标本·宋代

2. 从时代上鉴定

白釉画花瓷器稀薄釉有着鲜明的时代特征，是宋、金、元、明、清等各个时代的主流（图 4-57）。

3. 从窑口上鉴定

白釉画花瓷器在窑口上特征比较清晰，无论是磁州窑、磁州窑系，还是定窑或介休窑等烧造的白釉画花瓷器（图 4-58），在釉质特征上都是稀薄。这是由白釉画花瓷器本身固有的特征所决定的。

4. 从精致程度上鉴定

白釉画花瓷器釉质稀薄现象与精致程度关系并不密切，无论精致、普通、粗糙者都是釉质稀薄（图 4-59）。

由上可见，宋代，稀薄釉技术有了相当的发展，从技术上完全可以达到的透明釉的水平。

图 4-57 稀薄釉白釉画花瓷器标本·明代

十、手 感

　　白釉画花瓷器在釉质上手感特征明确。精致的白釉画花瓷器手感细腻、滋润、光滑，不过数量很少（图 4-60）；而普通白釉画花瓷器则是有粗涩感，当你用手去触摸它们时你会感到粗涩感和凸凹不平，很不舒服。由此可见，白釉画花瓷器并不十分注重手感，这应该也是其节约大量成本的原因之一（图 4-61）。而粗糙瓷器这种感觉无疑会更强烈一些。鉴定时我们要注意分辨。下面我们具体来看一下。

图 4-60 普通手感白釉画花瓷器标本·明代

图 4-61 普通手感白釉画花瓷器标本·明代

图 4-62 手感光滑白釉画花瓷器标本·明代

1. 从光滑上鉴定

白釉画花瓷器多数手感光滑（图 4-62）。从宋代瓷器产生之时人们就十分重视瓷器的手感，这也是瓷器烧造成熟的标志。特别是像白釉画花瓷器等日常生活用瓷经常拿在手中使用，所以在讲究瓷器视觉效果的同时更加注重的是其手感。而对于普通的白釉画花瓷器手感光滑应该是其最低的标准。因此，当我们触摸宋代白釉画花瓷器时很少发现有不光滑的。但同时，这一时期也有许多手感不太好的白釉画花瓷器。金元时期白釉画花瓷器釉质的光滑程度进一步下滑，许多瓷器都是相当粗涩，甚至有些不是名窑生产的，看起来也是较粗，在手感上不是很光滑。明清时期白釉画花瓷器继承了这一传统，手感光滑者有见，但不占主流地位。

2. 从细腻上鉴定

宋元、明清时期白釉画花瓷器手感特征十分丰富（图 4-63）。白釉画花瓷器不仅仅在色彩上看起来非常淡雅柔和，而且手感相当细腻滑润。细腻的感觉与光滑有一定区别，是比光滑更深的感觉，比光滑来得更彻底。通常上釉的白釉画花瓷器基本都能达到光滑的效果，但却不是所有的瓷器都能达到细腻的效果。细腻是需要温度来控制的。一般情况下，低温釉的白釉画花瓷器不光釉质鲜嫩，而且手感也相当的细腻；而如果温度高，那么通常釉质细腻的感觉也会随之下降；如果温度高到一定程度，那么釉质就不会再有细腻滋润的感觉了。通常一般的瓷器由于温度多要达到 1300℃，所以，细腻滋润的感觉通常不是很好（图 4-64）。细腻的白釉画花瓷器在宋代有，多限于精致的白釉画花瓷器；金元时期只是偶见有细腻的白釉画花瓷器出现。

图 4-63 白釉画花瓷器标本·明代

图 4-64 手感细腻白釉画花瓷器标本·宋代

3. 从粗糙上鉴定

宋元、明清时期釉质粗糙的瓷器不是很多（图 4-65），因为一般施釉的白釉画花瓷器从理论上讲手感都是光滑的，而手感粗糙的白釉画花瓷器只有在某些特定的情况下才会发生。这主要存在两种情况：一是胎体粗糙的瓷器，因为本身坯胎的表面就有星星点点的凸凹不平，虽然施有化妆土，但在遮掩住颜色的同时却不能掩盖手感，人们在触摸白釉画花瓷器时，连带釉质烧结的坑凹不平依然会被感觉出来，而这样的白釉画花瓷器自然就是粗糙（图 4-66）。这一类型的白釉画花瓷器在元代较多，金代也比较丰富。但精致的白釉画花瓷器基本上已经没有这种现象，主要在粗糙的瓷器上存在。宋代人们对于胎体的重视程度普遍上升，再加之精细化妆土的应用，所以宋代手感粗糙的白釉画花瓷器比较少，有些看起来比较粗糙的白釉画花瓷器手感也是相当光滑，但也有见手感粗糙的白釉画花瓷器出现。二是釉质本身有问题，多见釉质内杂质比较多，在烧结的同时产生了一些不平的感觉，使手感不光滑和细腻。这样的白釉画花瓷器在各个时代基本上都有（图 4-67），但在精致的白釉画花瓷器中很少见，在粗糙的白釉画花瓷器中多见。再就是釉质在烧造的过程中在窑内产生的一些缺陷，如由于流釉使白釉画花瓷器的手感变得坑凹不平，或者是由于产生了气泡等。总之导致白釉画花瓷器手感粗糙的原因是多方面的，在鉴定时我们要注意把握。

图 4-65 略粗白釉画花瓷器标本·明代

图 4-66 手感略粗白釉
画花瓷器标本·明代

图 4-67 手感略粗白釉
画花瓷器标本·宋代

图 4-68 局部施釉白釉画花瓷器标本·宋元时期

十一、施 釉

1.通体施釉

通体施釉的白釉画花瓷器基本不见。施满釉自然要耗费相当的成本，而白釉画花瓷器作为深度民窑的产品，自然在成本的控制上是精打细算，只要是能够节约成本的地方都想到了。所以通体施釉的白釉画花瓷器很难出现和大规模流行，这一点我们在鉴定时注意到就可以了。

2.局部施釉

局部施釉的白釉画花瓷器最为常见（图 4-68），墓葬和遗址当中大量出现，总量规模巨大，可以说基本上所有的白釉画花瓷器在施釉方式上都是各种各样的局部施釉，占据着绝对的主流地位。下面我们具体来看一看。

（1）从施釉部位上鉴定：白釉画花瓷器局部施釉比较复杂，如施釉不及底足、仅至下腹、除底外、除底足外、施釉近足部等都有见（图4-69）。但这些施釉特征出现的频率差异性比较大，如施半釉的情况比较少见，碗、盘、罐、瓶等都是这样。由此可见，白釉画花瓷器在局部施釉的位置上显然是多极化的，错综复杂，异常繁复。

图 4-69 施釉仅至下腹部白釉画花瓷器标本·明代

图 4-71 局部施釉白釉画花瓷器标本·宋代

图 4-72 局部施釉白釉画花瓷器标本·明代

（2）从时代上鉴定：局部施釉的白釉画花瓷器在时代特征上很鲜明（图4-70），宋代是主流，金元时期也是主流，明清时期更是主流。在时代上具有均衡性的特征，贯穿于整个白釉画花瓷器史。

（3）从窑口上鉴定：白釉画花瓷器局部施釉的情况从窑口上看没有过于复杂的特征，各个时代的各大窑场都是大量烧造。如宋代磁州窑、金代磁州窑、以及元代磁州窑，山西介休、霍县窑等都有烧造，为当时各大窑口施釉的主流方式（图4-71）。

（4）从精致程度上鉴定：白釉画花瓷器局部施釉与精致程度没有关联，精致、普通、粗糙的白釉画花瓷器之上基本都是以局部施釉为主（图4-72），其他的施釉方式很少见，这一点我们在鉴定时应注意分辨。

图 4-70 局部白釉画花瓷器标本·明清时期

图 5-1 磁州窑白釉画花瓷罐·辽代

第五章　磁州窑

　　磁州窑是宋元、明清时期影响较大的民窑场（图 5-1），其窑址在河北磁县境内，以观台、彭城镇一带窑口最为密集，然后才向外扩散，因宋属磁州，故人们称之为磁州窑。磁州窑的烧造从北宋直至元代，明清时期亦有烧造，并形成了磁州窑系，以河北磁县为中心向周边扩散，大江南北，大河上下，陕西、河南、山西、江西等地都发现有磁州窑系的窑场。如陕西耀州窑，山西介休窑、霍县窑、大同窑，河南鹤壁窑、汤阴窑等诸多窑口都在烧造磁州窑风格产品，并且产量比较大，可见其影响十分深远。明曹昭《格古要论》述"古磁窑，好者与定相类，但无泪痕，亦有划花、锈花，素者低价与定器，新者不足论。"磁州窑的风格是以装饰取胜，白釉画花是其最典型的装饰手法，"是宋元名瓷中百姓真正在使用的瓷器……白釉画花瓷器在纹饰上实际上是使用了两种不同色彩的化妆土在绘制……从题材上看，常见有花鸟、鱼、虎、各种花卉、婴戏图等，主要是一些寓意较为吉祥的图案，也有用来撰写诗文等（图 5-2）。总之是题材多样，民间生活气息浓重"（姚江波，2010）。这样做的目的是

图 5-2 磁州窑白釉画花诗词枕·宋代

图 5-3 磁州窑白釉画花瓷器碗·明代

以期达到最佳的装饰效果。在造型上常见的主要有碗、盘、碟、盆、灯、枕、壶、盒、瓶、坛等（图 5-3），总之都是一些人们日常生活当中的用具，消耗性很强，估计在产生后使用频率很高，是宋元时期人们真正在使用着的器具。从数量上看，磁州窑白釉画花瓷器在数量上异常丰富，这与其是人们日常生活当中的生活用具，以及深度民窑不无关系。低廉的价格使得白釉画花瓷器在当时异常流行。饭馆酒肆、寻常百姓家中都多有使用。磁州窑白釉画花瓷器在胎质上由于民间窑场的性质所限，选料略粗，高岭土和黏土及掺合料并存，但可塑性极强，可以随意而就地塑造各种造型，淘洗比较精炼，瓷化程度比较高，烧成后致密、坚固（图 5-4）。从纹饰看，磁州窑白釉画花瓷器抛弃了青、白瓷不重纹饰的传统，而是尤重纹饰。但显然磁州窑以纹饰为重也是被迫的，"做为一个北方地区的窑场来

图 5-4 胎体致密坚硬磁州窑白釉画花瓷器标本·明代

讲，磁州窑所面临的竞争对手很多，面临大的窑系竞争对手就有耀州窑系、钧窑系、定窑系，另外，还有景德镇窑系、龙泉窑系等南方的竞争对手"（姚江波，2009）。在如此残酷的竞争中，磁州窑没有选择以釉质取胜，而是一反常态，选择了以纹饰为主要装饰手法，在洁白犹如宣纸的化妆土上恣意作画，宣泄着最底层百姓最质朴的情怀（图5-5）。常见的纹饰题材不仅有花卉、鱼鸟、龙纹、虫蝶，还有婴戏、诗词、曲牌、历史故事、民间传说，以及抒发自己情感的寄语等（图5-6）。工匠们将书法艺术引入到白釉画花瓷器之上，与传统的绘画结合起来，使白釉画花瓷器的装饰性功能进一步增强。"还有一些较长的抒发情怀的词句，也有的是发现在一些墓葬中出土的瓷枕之上，多是用毛笔书写着极其悲凉的词句，如，表达自己不想离开人世，对世间人和物是如何的眷恋……等"（姚江波，2009）。总之从题材上看，这些纹饰图案具有浓郁的民间生活气息，给人以昂扬向上之感。许多诗词谚语也都是具有正面的教化寓意，很多图案表吉祥寓意，如鱼纹图寓意"年年有余"等。在纹

图 5-5 磁州窑白釉画花瓷器标本·明代

图 5-6 磁州窑草叶白釉画花瓷器标本·宋代

图 5-7 磁州窑纹饰疏朗白釉画花瓷器标本·宋代

饰风格上以疏朗为显著特征，画风燎原，活泼可爱（图 5-7），构图合理，简洁明快，线条流畅，刚劲挺拔，有的纹饰寥寥几笔便可勾勒出一幅生动的画面，抓住了人们生活中最朴实的元素。如打陀螺的纹饰看起来就会令人想起童年的欢乐，从而倍加珍惜现在的生活。磁州窑白釉画花瓷器的影响十分深远，在宋代就已经"通销天下"，冲击着传统瓷器不重纹饰的观念，为青花瓷和颜色釉瓷器之上大量纹饰的出现奠定了观念上的基础。白釉画花瓷器纹饰题材丰富，开教化之先河（图 5-8），金、元、明、清等各个时代都有烧造，直到现在对我们的生活还有影响，如磁州窑风格的瓷器当代依然有生产，可谓是千年赞誉。

图 5-8 磁州窑白釉画花瓷器碗·宋代

第六章 造 型

图 6-2 大敞口白釉画花瓷盘·明代

第一节 口 部

一、种 类

　　白釉画花瓷器口部特征种类十分丰富，常见的主要有敞口、侈口、敛口、花口、直口、子母口、大口、小口、喇叭口、正方形口、长方形口、不规则口等（图6-1）。从衍生造型上看，以上白釉画花瓷器口部造型显然并不是终结，这些造型或多或少地都具有一定程度的衍生性。如敞口可以衍生成小敞口、大敞口、微敞口等（图6-2），判断的标准也主要是视觉，由此可见为一场视觉上的盛宴。

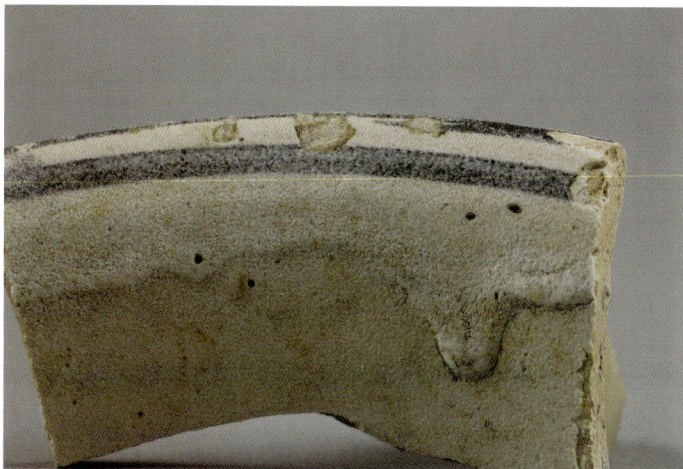

图 6-1 敞口白釉画花碗·金代

图 6-3 磁州窑白釉画花瓷碗·明代

图 6-4 小口白釉画花梅瓶·辽代

二、数 量

白釉画花瓷器口部造型丰富，但在数量上却是各不相同，并不均衡，在比例上主要以敞口、敛口、侈口、大口为主（图 6-3），其次是直口、小口等（图 6-4），而喇叭口和花口最少见。当然这只是宏观上的，从微观上看还要受到时代和窑口等因素的影响。磁州窑在不同阶段的表现也不尽相同，但这种区别一般情况下都比较小，变化的幅度不大。

三、形 制

白釉画花瓷器口部形制特征明确，主要以简洁明快为显著特征（图 6-5）。多数口部特征都是顾名思义，如敞口的造型就是口部向外张得比较大；而侈口的造型就是口部有明显的外侈；敛口的造型很明显有一个内敛的过程；花口看起来更为明显，就是我们的视觉很容易就可以看得出来。基本上没有过于复杂性的造型，因为过于复杂的造型很难调和众人的需求，所以越是民窑的产品越是形制简洁明快，非常直观。显然白釉画花瓷器就是这样。

图 6-5 简洁明快敞口白釉画花瓷碗·明代

图 6-6 侈口白釉画花瓷碗·明代

四、器 形

白釉画花瓷器在器形上特征非常明确，就是不同的口部造型会选择相应的器物造型，只是选择的侧重点不同而已。如碗、盘等器皿在口部造型的选择上较为广泛，敞口、侈口、敛口、大口等都有见（图 6-6）；而瓶的口部造型在选择上就比较窄，一般情况下主要以小口和喇叭口等少量口部造型为主。由上可见，白釉画花瓷器在口部造型上涉及到众多的器皿，不同时代和窑口内这些器物在口部造型的选择上会有异同。但由于白釉画花瓷器时代跨度并不是特别大，再加之基本上器物造型在功能上都没有变化，而我们知道在器物功能不变的情况下造型显然很难有改变。

五、功 能

白釉画花瓷器口部在功能上的特征十分明确，主要是以实用为主（图 6-7），兼具装饰的功能。实用与装饰功能结合的紧密程度，主要取决于其功能化的特征。

图 6-7 实用与装饰功能兼具的微敛口白釉画花瓷罐·辽代

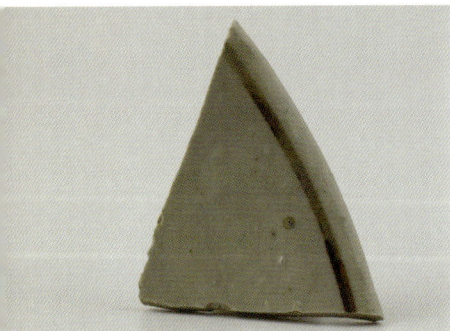

图 6-8 圆唇白釉画花瓷器标本·明代

第二节　唇　部

一、种　类

　　白釉画花瓷器唇部特征种类十分丰富，常见的主要有圆唇、方唇、尖唇、尖圆唇、卷唇、平唇、厚唇、敛唇等（图 6-8）。从衍生造型上看比较强，如，圆唇常见的衍生性造型主要有卷圆唇、圆唇外撇、近圆唇等，但这些造型显然都是视觉上的，并不是尺寸意义上的标准。

二、数　量

　　白釉画花瓷器唇部造型丰富，但并不均衡，主要以圆唇为主（图 6-9），其次是方唇、卷圆唇、尖圆唇等，而像尖唇等的造型并不是很丰富。从厚薄上看，白釉画花瓷器唇部主要以薄为主。不同时代和窑口基本上相似，变化并不大。

图 6-9 尖圆唇白釉画花瓷碗·明代

图 6-10 造型简洁明快圆唇白釉画花瓷器标本·宋代

图 6-12 实用与装饰功能兼具白釉画花瓷器标本·明代

三、形 制

白釉画花瓷器唇部形制比较直观，主要以简洁明快为主（图 6-10）。如圆唇从造型上一看就知道；方唇的造型也是这样，比较直观，模糊不定的情况很少见。但总的来看，并未脱离视觉观察的范畴。

四、器 形

白釉画花瓷器在器形上碗、盏、壶、瓶、盘、盆等都有见（图 6-11）。不同的器物造型常选择相异的唇部造型，这一点是显而易见的，如碗、盘等器皿多选用圆唇或者尖圆唇等的唇部造型；而瓷壶、盆等的器物造型多选择的是方唇或是圆唇等的唇部造型。从时代和窑口上没有过于规律性的特征。

五、功 能

白釉画花瓷器唇部在功能上主要以实用为主，如圆唇、尖唇、尖圆唇、方唇、卷唇等形制都常见（图 6-12）。其实用的功能是第一位的，但是兼具有装饰的功能。

图 6-11 近圆唇白釉画花瓷器碗·明代

图 6-13 撇沿白釉画花瓷器标本·明代

图 6-14 宽折沿白釉画花瓷碗·元代

第三节 沿 部

一、种 类

白釉画花瓷器沿部造型常见的主要有平沿、折沿、敞沿、卷沿、厚沿、撇沿、薄沿、花口沿等（图6-13），由此可见种类较为丰富。从衍生性上看，这些沿部造型并不是造型的终结，而是具有很强的衍生性。如平沿可以衍生出近平衍、宽平沿、窄平沿、折沿近平等。白釉画花瓷器在沿部衍生造型上十分丰富。

二、数 量

不同的白釉画花瓷器在沿部造型的选择上表现出了前所未有的均衡性，如平沿、折沿、宽沿、窄沿等没有哪一种能够占到统治地位（图6-14）。不均衡性只是在个别的沿部特征上较为突出，如厚沿显然是占据绝对优势；而薄沿的造型在白釉画花瓷器之上则是偶见；再者花口沿也比较少见。

三、形 制

白釉画花瓷器沿部在形制上主要以视觉判断为标准，如平沿既平衍，视线观察起来很明显，可见白釉画花瓷器在沿部造型上并未脱离视觉观察的范畴（图6-15）。总的来看，简洁、明快是其显著特征。

图 6-16 外撇沿白釉画花瓷盘（外壁）·明代

四、器 形

白釉画花瓷器中的沿部造型常见的主要有碗、盘、盆、注、盏、盂、壶、罐、瓶等（图 6-16）。如盆的造型多是宽平折沿；而瓶的造型多为卷沿。总之，不同的沿部造型所对应的器物造型不同。

五、功 能

白釉画花瓷器在沿部造型的功能上特征很明确，主要以实用为主（图 6-17）。如大量白釉画花盆上所使用的平沿显然是为了使用时用手端起来方便，兼具有装饰的功能。但有的沿部造型与装饰结合的程度较为深刻，如花口沿的造型显然装饰的功能非常明显。

图 6-17 兼具实用与装饰双重功能的白釉画花瓷器标本·宋代

图 6-15 沿微外撇白釉画花瓷器标本·明代

图 6-18 弧腹白釉画花瓷碗·明代

第四节　腹　部

一、种　类

白釉画花瓷器腹部造型十分丰富，常见的腹部造型主要有鼓腹、弧腹、浅腹、深腹、斜腹、圆腹、直腹等（图 6-18）。从衍生性上看比较强，如鼓腹就可以衍生出微鼓腹、近鼓腹、扁鼓腹、小鼓腹、大鼓腹、弧鼓腹、瓜棱鼓腹、圆鼓腹等的造型。衍生造型和基本造型组合在一起形成了庞大的白釉画花瓷器腹部造型群。白釉画花瓷器在腹部造型上相互包容的现象也很常见（图 6-19），如弧鼓腹的造型显然就是由弧腹和鼓腹组合而成，但一旦组合成功之后便是一种成熟的造型，具有较强的稳定性。

图 6-19 弧鼓腹白釉画花瓷碗·明代

二、数　量

白釉画花瓷器众多腹部特征在数量上差异很大，从比例上看，以鼓腹及其衍生性造型为最，弧腹等居于其次，而另一些腹部造型则十分少见，如直腹、折腹、敞腹、曲腹等（图6-20）。由此可见，白釉画花瓷器深度民窑的性质直接影响到了它的腹部造型特征，显然鼓腹可以盛放更多物品。不同时代和窑口之间有差别，但这种差别很小。

图6-20 近直腹白釉画花瓷枕·宋代

三、形　制

白釉画花瓷器腹部形制特征十分鲜明（图6-21），以简洁、明快为显著特征。直接可以观测到其造型，如鼓腹瓜棱形的腹部造型很明显；圆鼓腹的造型也很鲜明，繁缛的造型很少见。从时代和窑口上看，没有过于复杂性的特征。

图6-21 简洁明快弧腹白釉画花瓷碗·宋代

四、器　形

白釉画花瓷器腹部造型丰富（图6-22），同样对于器物造型的选择也比较丰富，表现为不同的器物造型所选择的腹部造型不同。这一点在白釉画花瓷器上被表现得淋漓尽致。如白釉画花盒多数是直腹的造型，其他腹部的可能性不大；再如瓶的腹部一定是深腹，不可能是浅坦腹等的造型；而碟的腹部显然多是浅坦腹，而不大可能是深腹等（图6-23）。这些特点我们在鉴定时要注意分辨。但显然鼓腹的造型所选择的器形众多，如碗、盘、罐、瓶、钵等基本上都会涉及到鼓腹的造型。

五、功　能

白釉画花瓷器腹部造型在功能上的特征很明确，主要以实用为显著特征，兼具有装饰的功能。实用与装饰的功能相互之间融合得一般都非常紧密。如银锭枕的造型，银锭形状的腹部有一定的难度，但是在宋元时期却很流行。这样的腹部造型显然是为了装饰的需要，不然制作一个长方形的枕，同样具有实用的功能。由此可见，白釉画花瓷器为了能够更好地满足不同人群的需求，是在尽最大努力去追求实用与装饰性的结合，并取得了很大成功。

图6-22 深鼓腹白釉画花瓷瓶·辽代

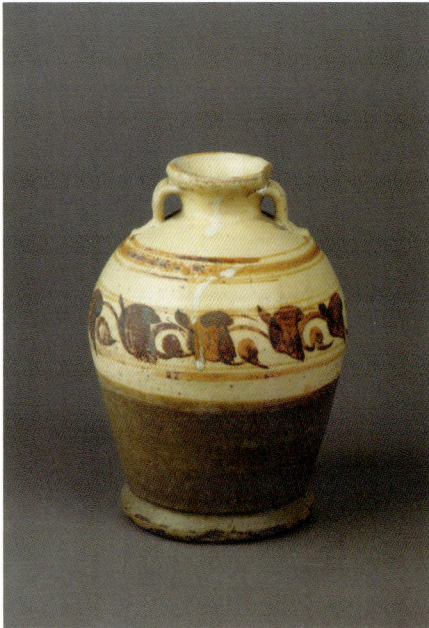

图6-23 浅坦腹白釉画花瓷碟标本·宋代

图 6-24 平底白釉画花瓷器标本·明代

第五节 底 部

一、种 类

　　白釉画花瓷器的造型种类以平底为主（图 6-24），圜底为辅，这是其显著的特征。这与白釉画花瓷器浓郁的民窑特征也有关系。大量盛器的存在导致了平底的增多。当然，日用器皿的大多数底部特征也是平底。如瓷枕的底部除了束腰枕基本上都是平底，因为它要保证枕的稳定性。同样，盆的造型也是这样。从衍生性造型上看，平底较为丰富，如大平底、小平底、平底内凹和平底微凸的情况都有见（图 6-25）。一些平底的微凸形成乳突，而一些形成脐形的凸起等，这些其实都应该算是平底的衍生性造型。而圜底的衍生性造型不是很常见。

图 6-25 平底微凸白釉画花瓷碗·明代

二、数 量

　　白釉画花瓷器在底部数量特征上比较简单（图6-26），以平底的衍生性造型为主。从发掘出土的器物来看，平底的衍生性造型在底部特征上表现出的显然是参差不齐，不过也没有过于固定化的特征，不存在哪一种造型固定化的趋势。如大平底、小平底、平底内凹、脐形底等都占据不到主流地位（图6-27）。而圜底的造型数量异常少见，只是在特定的造型之上有见。

图6-26 平底白釉画花瓷碗标本·明代

图6-27 小平底微白釉画花瓷器碗标本·宋代

三、形 制

　　白釉画花瓷器底部形制主要以平底和圆底为主（图6-28），形制比较简单。圆底的造型就是像我们现代用的锅底一样的造型，在衍生性上也不强，这种造型在形制上可谓是简洁、明快。平底的造型反而是较为繁杂，这种繁杂并不复杂，主要体现在衍生性造型比较多这一点上，如大平底、普通平底、小平底的造型在形制上比较容易判断，判断的标准主要是依据其造型。另外，平底从平衍的角度来看也比较繁杂，如平底内凹、微凸的情况都很常见（图6-29）。不过虽然繁杂但也都是比较容易判断，基本上都是视觉的盛宴。鉴定时注意到就可以了。

图6-28 平底白釉画花瓷器标本·元代

图6-29 平底微内凹白釉画花瓷器标本·明代

图 6-30 平底白釉画花瓷碗·明代

四、器 形

　　白釉画花瓷器底部涉及的器物造型众多（图6-30），如碟、坛、碗、盏、盘、罐、瓶、盆、炉等都有涉及。不同的形制主要涉及到的器物造型不同。如白釉画花瓷碗的底部基本都是平底，可以说大平底、平底、小平底的造型都有见；而白釉画花瓷枕的底部造型多为大平底（图6-31）。从精致程度上看，精致者底部多平衍；而普通和粗糙者底部不平整的现象多有出现。这一点很明显，几乎贯穿于白釉画花瓷器的生命历程。

图 6-31 平底微内凹白釉
画花瓷枕标本·宋代

五、功 能

白釉画花瓷器底部造型在功能上特征明确，以实用为主（图6-32），兼具有装饰的功能。这迎合了其深度民窑的性质。具体的主要体现在实用功能为主导，还是装饰性功能为主导之上，这一点很明确。另外就是功能对于造型的影响是决定性的，如瓷枕的功能是寝具，客观上需要稳定（图6-33），所以必然要求底部是平衍的，而且要是大平底。而这一点我们在鉴定时应注意分辨。

图 6-32 实用与装饰结合平底白釉画花碗·明代

图 6-33 平底白釉画花瓷枕标本·宋代

第六节　足　部

一、种　类

　　白釉画花瓷器足部造型常见的主要有圈足、饼足、喇叭足、尖状足、乳足、兽足、支足等（图6-34）。由此可见，白釉画花瓷器在足部造型上十分丰富。当然，这与其民窑性质是分不开的。日常生活用具的功能决定了其足部特征必然较多。在这些不同种类的足部造型之下，还有诸多衍生性的造型存在。典型的如圈足的造型可以衍生出许多造型，如暗圈足、方圈足、小圈足、斜直圈足、窄圈足、矮圈足、高圈足、环状圈足、假圈足、宽圈足、喇叭状圈足等，可见衍生性造型在数量上的丰富程度。从比例上看，不同种类的圈足造型出现的频率差别比较大。如凹圈足出现的几率很小；而宽圈足的几率就很大。总之，我们在鉴定时要注意这种差别。

图6-34 圈足白釉画花瓷碗标本·明代

图 6-35 圈足白釉画花瓷碗·金代

二、数 量

　　白釉画花瓷器不同的足部在数量上各异，这一点是显而易见的。以圈足为例，几乎涉及到各种器物造型，在数量上最多（图 6-35）；而其他如花座足、尖状足等的造型却很少，只是偶见。从时代上看，白釉画花瓷器足部造型在数量上特征不明显，各个历史时期基本相当。从窑口上看，无论是磁州窑还是介休窑，以及其他窑场的白釉画花瓷器产品足径都比较大，这是民窑产品的一个特点。

三、形 制

　　白釉画花瓷器足部形制特征十分明确，以简洁为主（图 6-36）。各种足部造型基本上没有过于复杂者，都是很简洁，用视觉可以直接观测出来。如高圈足的造型就是圈足较高；矮圈足的造型就是看起来圈足非常矮。非常的明显和直观，几乎很少见到模糊不清的情况（图 6-37）。这一点我们在鉴定时应注意分辨。

图 6-36 圈足黄白釉白釉画花瓷碗·元代

图 6-37 圈足白釉画花瓷碗·元代

四、器 形

白釉画花瓷器不同的足部造型会选择相应的器形（图6-38），这一点是显然的。无疑，圈足所选择的器物造型最多，如碗、盘、碟、盏等都是这样，其中碗的数量最多，占很大比例。由于白釉画花瓷器浓郁的民间窑场性质，功能繁多，所以几乎每种足部造型涉及的器物造型都比较丰富。总的来看，多数白釉画花瓷器在足部造型的选择上涉及多种造型。

五、功 能

白釉画花瓷器足部功能十分明确，以实用功能为主（图6-39），兼具与装饰结合的功能。足部实用与装饰结合的紧密程度主要以瓷器的精致程度为显著特征。精致的白釉画花瓷器足部，在实用与装饰性的功能结合上较为紧密，融合得比较好；而随着精致程度的下降，二者结合的紧密性越来越差，呈现出明显的反比关系。

图6-38 圈足白釉画花瓷碗标本〔背面〕·宋代

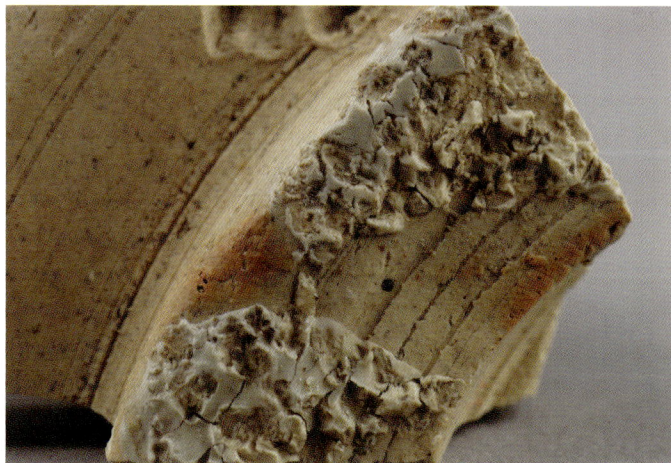

图6-39 实用与装饰结合的圈足白釉画花瓷碗标本·金代

第七章 纹 饰

图 7-3 纹饰线条粗犷白釉画花瓷器标本·宋代

　　白釉画花瓷器在宋代窑系林立的残酷市场竞争中转向竞争较为薄弱的以纹饰取胜的装饰手法。（图 7-1）"白釉画花顾名思义是在白色的胎体之上用黑彩绘画。但实际上白釉画花瓷器是在白色的化妆土上用黑彩来进行绘画。黑彩所用的原料是一种黑色的化妆土。由此可见，白釉画花瓷器在纹饰上实际上是使用了两种不同色彩的化妆土在绘制纹饰。"（姚江波，2010）白釉画花瓷器在装饰方法上的革新，一是使绘画的速度加快了，绘画的方法比刻划要快得多；二是节省了原料，有效地降低了成本（图 7-2）；三是容易形成较大的场面，将人们在生活中喜闻乐见的题材进行概括，大规模地付诸于画卷（图 7-3），像在宣纸上作画一样诗书画并用，浓墨淡彩，记录下人们生活的喜悦与欢乐，具有很高的艺术价值。我们具体来看一下。

图 7-1 纹饰较为繁密白釉画花瓷器图案标本·宋代

图 7-2 纹饰疏朗白釉画花弦纹标本·明代

图 7-4 白釉画花鸟纹图案·宋代

第一节 题 材

　　白釉画花瓷器纹饰在题材上涉及到了各种各样的题材（图 7-4），常见的有花鸟、虫鱼、草叶、马戏、动物、婴戏、人物、山水、鸟戏、熊戏、如意云纹、瑞兽、蹴球、劲草、花瓣、花蕊、赶鸭、放鹌鹑、人物故事、逗鸟、龙凤、扑蝶、蔓草、野塘芦鸭、骑竹马、钓鱼等（图 7-5）。题材之丰富，几乎反应了人们生活当中方方面面的内容。由此可见，这些纹饰具有浓郁的民窑气息，显然是取材于生活而高于生活。从题材上看，白釉画花的纹饰极大地背离了传统，与传统的刻划有本质的不同，它开始着重于细节。纹饰题材有血有肉，有生活气息，最关键的是有了一些情节。虽然这些情节多数是不连贯的，是片段的（图 7-6），但是这在瓷器之上已经是破天荒了。另外，白釉画花瓷器在纹饰上还极大地突破了单一纹饰的局面，最大限度地对纹饰进行组合。将多种纹饰装饰在同一件器物之上，共同形成一组较具情节性的纹饰。但从数量上看，依然是以传统的纹饰题材为主（图 7-7），如弦纹、花卉纹、草叶纹等等，只不过是用画花的方式来表达。下面我们随意来看几种较为常见的纹饰。

图 7-5 白釉画花草叶纹图案·宋代

图 7-6 白釉画花瓷器草叶纹图案·宋代

图 7-7 白釉画花草叶纹瓷碗·宋代

一、弦 纹

弦纹在白釉画花瓷器之上非常普遍，与传统青瓷、白瓷等纹饰区别之处就是画花。弦纹以粗线条为主（图7-8），细线有见，线条流畅，刚劲挺拔，美不胜收。具体我们来看一下。

（1）两周弦纹：在弦纹的种类上不是很复杂，但一周弦纹的情况很少见，而两周弦纹的情况就比较常见（图7-9）。从施纹部位上看，两周弦纹多见装饰于瓷器的腹部、口部等部位，其他部位则很少见。装饰三周弦纹的瓷器在宋代有见，但数量不及两周的多；金元时期三周弦纹在数量上有一定增加；明清时期基本延续。当然，还有更多组合的弦纹在白釉画花瓷器之上出现，只是数量比较少。

图7-8 白釉画花弦纹图案标本·宋元时期

图7-9 白釉画花两周弦纹图案·明代

（2）组弦纹：组弦纹的纹饰很常见（图 7-10），这种弦纹的数量特征不明确，但以组的形式来看很明确。宋代白釉画花瓷器之上分组饰纹的现象比较常见，就是几条纹饰共同组成一组弦纹。其实这样的弦纹在各个时代都很常见，金元时期数量有一定量的增加，常是装饰在白釉画花瓷器的腹部和外壁上沿下，有的与其他纹饰共同组成纹饰，多是绕白釉画花瓷器一周，线条流畅、挺拔、刚劲有力，弦纹风格燎原（图 7-11），相互之间有见打破的现象，当然相互串合在一起的线条也有见。看来，白釉画花瓷器组弦纹十分随意，这切合了白釉画花瓷器深度民窑的特征。从弦纹数量上来看，两周弦纹、三周弦纹，乃至数周弦纹的情况都有见（图 7-12），情况看上去比较复杂，有的还分不太清究竟有几周弦纹。在环绕器物的程度上也比较复杂，有些环绕不到一周，但有的则环绕得比较规整。规整与否主要与其精致程度有着密切的关联。精致程度好的白釉画花瓷器较为规整，但精致程度普通者可能略差一些，粗糙者更差。我们再来看两组弦纹的情况，其实两组弦纹和一组弦纹的情况十分相似，就是在白釉画花瓷器的不同部位分布有两组弦纹。通常，这两组弦纹在构图上十分相似，包括线条的周数、粗细、色彩、浓淡等各个方面都基本相同。当然，也有个别的情况两组弦纹在构图上区别较大，但这种情况通常很少见，鉴定时我们知道就可以了。

图 7-10 组弦纹白釉画花瓷碗·宋代

图 7-11 纹饰风格燎原白釉画花弦纹、草叶纹组合图案标本·元明时期

图 7-12 组合弦纹白釉画花图案·明代

二、草叶纹

草叶纹在宋元时期的白釉画花瓷器上十分常见（图 7-13）。草叶纹相对于弦纹属于一种较为复杂的纹饰，但多数亦较为简单，寥寥几笔一挥而就，极讲究写意传神，并不像后来的绘画那样复杂。从本质上看，属简单刻划纹范畴。从数量上看，宋代草叶纹的白釉画花瓷器数量很多；金代有所增加，有很多白釉画花瓷器上有一些简单的草叶纹，显然是在做装饰复杂纹饰的尝试（图 7-14）。宋元时期草叶纹的构图在白釉画花瓷器上已经相当普遍，草叶纹的种类也有了大规模的增加。从纹饰的具体种类上看，草叶纹是一种比较抽象的纹饰，有许多纹饰我们只能看到大致的轮廓，从大意上我们能看出是草叶纹，但再具体是什么草叶往往看不出来。这样的草叶纹白釉画花瓷器在数量上应该最多。主要以黑色草叶纹为主（图 7-15）。在纹饰风格上，草叶纹不是很拘谨，疏朗为主（图 7-16），线条粗犷、燎原，流畅、自如。不过，从纹饰线条来看，多为一些熟练工匠所绘，并没有很专业的水准，这一点与当时这些白釉画花瓷器多为民窑生产的时代背景是相吻合的。在构图上，合理性很强，但从总的情况来看，宋元时期白釉画花瓷器上的草叶纹主要还是崇简。从精致程度上看，宋元、明清时期草叶纹与白釉画花瓷器的精致程度没有过于紧密的联系，精致、普通、粗糙的瓷器之上都有见。

图 7-13 草叶纹白釉画花瓷器标本·宋代

图 7-14 草叶纹白釉画花瓷器标本·宋金时期

图 7-15 黑彩草叶纹白釉画花瓷器标本·宋代

图 7-16 草叶纹白釉画花瓷器标本·宋代

图 7-17 花卉纹白釉画花瓷器标本·宋代

三、花卉纹

　　宋元时期花卉纹白釉画花瓷器有见（图
7-17）存在的花卉纹主要有两种：一是写
意花卉纹，二是写实花卉纹。可以说白釉画花瓷器上的花卉
纹饰很难区分，几乎所有的花卉纹饰都有写实与写意成分，许多花
卉纹整体看不出是什么样的花卉，只能笼统地判断为花卉纹，但的
确有见一些纹饰很明确，这种情况也不必去深究，应该是工匠们的
随意而就所造成的。工匠们随心创作，无拘无束，可以看到是在尽
情地宣泄，这与白釉画花瓷器浓郁的民窑产品风格是相吻合的。当
然写实的花卉纹在这一时期的白釉画花瓷器上（图 7-18）数量不是
很多，但从种类上看比较丰富。常见的如枝花、朵花、缠枝、折枝、
过枝等都有见；菊花、牡丹、芙蓉、莲花等也都有见（图 7-19）。
可见，宋元时期白釉画花瓷器上花卉纹种类确实不少。从工艺上看，
线条流畅，多以粗线勾勒，刚劲挺拔，构图讲究对称（图 7-20），
虽然画风粗犷（图 7-21）、燎原，但很少有随意敷衍的作品。从色

图 7-18 花卉纹白釉画花瓷器标本·宋元时期　　　　　图 7-19 花卉纹白釉画花标本·元明时期

图 7-20 讲究对称白釉画花花卉纹瓷器标本·宋代

图 7-21 纹饰粗犷燎原白釉画花瓷器图案·元明时期

彩上看，黑彩浓深、浅淡者都有见（图 7-22）。有的线条还有浓深程度的变化，这些在白釉画花瓷器之上都十分常见，非常正常。另外，花卉纹从传统瓷器上讲是一种较为复杂的纹饰，但是在白釉画花瓷器之上却是经常有见（图 7-23）。因为用画花的方式来进行装饰，非常简单，瞬间即成（图 7-24）。由此也可见，装饰纹饰方法的改变对于成本的降低是至关重要的（图 7-25）。

图 7-23 纹饰精美白釉画花瓷器标本·元明时期

图 7-22 黑彩略微浅淡者白釉画花瓷器标本·元明时期

图 7-24 黑色彩绘白釉画花瓷器标本·宋代

图 7-25 花卉纹白釉画花瓷瓶·辽金时期

四、莲 纹

宋元时期，莲纹的白釉画花瓷器数量有一些。因为莲纹多是随着佛教的传入而盛行的，虽然在汉代佛教已经传入我国，但还未大规模的流行，到了宋元时期，莲纹白釉画花瓷器在数量上规模逐渐增大，莲纹也逐渐向着复杂的方向发展。常见的莲花纹饰主要有一周莲瓣纹、莲花纹、褐色莲花纹、刻莲瓣纹、两层莲瓣纹、二十四瓣莲瓣纹、覆莲瓣纹、荷莲纹等。由上可见，基本上是将莲花各个部位都表达得淋漓尽致。不过从频率上看，有些具体的莲纹出现的频率比较低；有的莲纹相当少见。从颜色上看，这一时期白釉画花瓷器上的莲纹为黑色粗线条绘画，色彩上的浓淡程度变化丰富。从精致程度上看，装饰莲纹的白釉画花瓷器多以精致为主，很少见到过于粗糙的，无论从纹饰还是从造型以及釉质和胎体等各个方面都是这样。当然，这其中的原因很多，主要可能是与佛教的因素有关。由于虔诚的缘故，人们将画有莲纹的白釉画花瓷器制作得较为精致，即使是深度民窑也对与佛有关的事物高看一眼，将佛教题材的器物制作得较为体面。

图 7-26 构图疏朗白釉画花瓷碗·宋代

第二节 构 图

一、明 快

　　白釉画花瓷器构图以简洁、疏朗为主（图 7-26），画面留白较多。不同时代和窑口的白釉画花瓷器在构图上略有差异，但差异性不大（图7-27）。相当多的纹饰图案，如鱼纹等，寥寥几笔就可以勾勒出来，非常生动。总之，白釉画花瓷器在纹饰上的特征主要是简洁、明快。

图 7-27 构图简洁白釉画花瓷碗标本·明代

二、合 理

　　白釉画花瓷器在构图上极为讲究合理性（图7-28）。我们来看一则南京市戚家山明墓的实例，"黑彩瓷瓶2件。均出于后室前部，大小、形制完全相同。器身纹饰为黑彩花卉，肩部见一周六组连续的缠枝菊花纹，其上下各饰一周连弧状的简化仰覆莲纹"。由此可见，这件器物之上的纹饰对称性非常强。肩部一周的缠枝菊花纹分为六组，这本身就是一种对称，上下连弧状的简化仰覆莲纹其实也是一种对称。这样的纹饰显然是在对称思想的指导下形成的。另外，我们可以看到这件瓷器之上的纹饰十分讲究层次感，整个纹饰看起来层次分明，在白釉黑花的纹饰当中属于较为复杂的纹饰。再如马戏图、婴戏图、垂钓图等，在构图上不符合常理的情况很少见，既尊重现实，又讲究艺术性（图7-29）。总之，白釉画花瓷器在构图上层次分明、构图合理，很少见有主辅纹关系不很清楚的现象。特别是一些简单的纹饰合理性很直观，视觉可以很容易地观察到（图7-30）。

图 7-28 构图合理白釉画花瓷器标本·宋代

图 7-29 构图合理白釉画花瓷器标本·明代

图 7-30 层次分明鸟纹白釉画花瓷器标本·宋代

图 7-31 线条流畅白釉画花瓷器纹饰标本·元明时期

第三节 线 条

　　白釉画花瓷器纹饰在线条上具有鲜明的特征。一是线条流畅（图7-31）；二是刚劲有力（图7-32）；三是粗犷豪放（图7-33）。用这三点来形容白釉画花瓷器的线条特征最为贴切。其线条的流畅性表现得非常直观，可以看到纹饰由始至终的挥洒自如，一气呵成，非常的自信而无拘无束。基本上所有的白釉画花瓷器在线条上都是婉如行云流水，流畅自如（图7-34），线条不畅的情况很少见。而这种原生态的感觉显然与其深度的民窑性质分不开。从精致程度上看，白釉画花瓷器上的流畅性的特征模糊，无论精致、普通，还是粗糙的白釉画花瓷器之上，在线条上都是相当流畅（图7-35）。从线条的力度上看，几乎所有的纹饰线条都是刚劲有力的，不见软绵

图 7-32 线条纹饰刚劲有力白釉画花瓷器标本·宋代

图 7-33 线条粗犷豪放白釉画花瓷器图案·宋代

绵的线条出现。这说明了白釉画花瓷器上的纹饰并非是随意而绘，而是非常认真地对待。这一点，从刚劲有力上就可以很明显地看到（图7-36）。另外，白釉画花瓷器最为人们所称道的就是其纹饰线条的粗犷性。线条一泻千里，如江河之水缓缓向前奔流，豪放之感很明显，似乎并不受任何约束（图7-37）。这种情怀不是任何宫廷画师都有的，只有在深度的民间才会被激发出来，反应出当时的人们热爱生活、渴望自由生活的状态。

图 7-34 线条宛若流水弦纹白釉画花瓷器纹饰图案·明代

图 7-35 线条流畅白釉画花瓷碗·明代

图 7-36 画工认真刚劲有力白釉画花瓷器图案标本·宋元时期

图 7-37 线条豪放白釉画花弦纹瓷器标本·明代

图 7-39 肩腹部饰纹白釉画花瓷双系瓶·辽代

第四节　饰纹部位

　　白釉画花瓷器在饰纹部位上特征比较明确，基本的特征就是较为广泛（图7-38）。几乎在白釉画花瓷器的各个部位都有可能装饰纹饰。当然，其最为显著的特征是装饰在较为明显的部位。通体饰纹的白釉画花瓷器几乎不见，主要以局部饰纹为主（图7-39），如口、唇、沿、肩部、腹部、足部、底部，画面内、花之间、系之间饰纹、铺首之间饰纹等都有见（图7-40）。但一般情况下，白釉画花瓷器局部饰纹与造型有着密切的关系，如白釉画花罐一般情况下只在外壁装饰纹饰（图7-41），内壁装饰纹饰的情况很少见，因为没有意义，起不到装饰作用，而白釉画花瓷器又是

图 7-38 外壁饰纹白釉画花瓷碗·明代

图 7-40 内心饰纹白釉画花瓷碗·宋代

极讲究成本的，所以这种情况的可能性很小。因此，在一般不该装饰纹饰的地方装饰有纹饰，那么这样的器皿我们要当心为伪器。鉴定时应注意分辨。另外，白釉画花瓷器纹饰喜装饰在瓷面等便于装饰纹饰的地方，因为面积比较大，而很少在枕的四壁装饰纹饰（图7–42）。这些我们在鉴定时应注意分辨。总之，白釉画花瓷器在装饰纹饰的部位上多受到造型、功能、视线等因素的影响。从时代和窑口上看，基本上也是这样。

图 7–41 外壁饰纹白釉画花瓷器罐·明代

图 7–42 枕面饰纹白釉画花瓷器标本·宋代

图 8-1 精美绝伦白釉画花瓷碗·明代

第八章 识市场

第一节 逛市场

一、国有文物商店

国有文物商店收藏的白釉画花瓷具有其他艺术品销售实体所不具备的优势，一是实力雄厚；二是古代白釉画花瓷数量较多（图8-1）；三是瓷器鉴定专业人员多；四是在进货渠道上层层把关；五是国有企业集体定价，价格比较适中。国有文物商店是我们购买白釉画花瓷器的好去处（图8-2）。基本上每一个省都有国有的文物商店，是文物局的直属事业单位之一。下面我们具体来看一看表8-1。

表 8-1 国有文物商店白釉画花瓷品质状况

	时代	窑口	数量	品质	体积	检测	
白釉画花瓷	宋元	磁州窑	多见	精／普／粗	大小兼备	通常无	国有文物商店
	明清	磁州窑	多见	精／普／粗	大小兼备	通常无	
	民国	磁州窑	多见	精／普／粗	大小兼备	通常无	
	当代						

图 8-2 精美绝伦白釉画花瓷器标本·宋代

图 8-3 集陈设装饰为一体
白釉画花瓷枕标本·宋代

由表8-1可见，从时代上看，国有文物商店古代白釉画花瓷器（图8-3），宋元时期、明清时期、民国时期都有见，但当代工艺品基本不见。从窑系上看，宋元白釉画花瓷器主要以磁州窑为主，在烧造上达到了最高水平，特别是民间气息比较浓郁，画风活泼，富有生气。磁州窑形成了巨大的瓷窑体系，直至民国时期都是这样（图8-4）。从数量上看，国有文物商店内的白釉画花瓷器宋元时期比较多见，明清及民国时期更为常见。这与磁州窑白釉画花瓷器主要是作为人们日常生活当中的用具有关，但数量也是比较少。总之，在数量上国有文物商店具有相当的优势。从品质上看，宋元白釉画花瓷器在品质上精致、普通、粗糙者都有见，但主要以精致瓷器为主。因为宋代是中国古代瓷

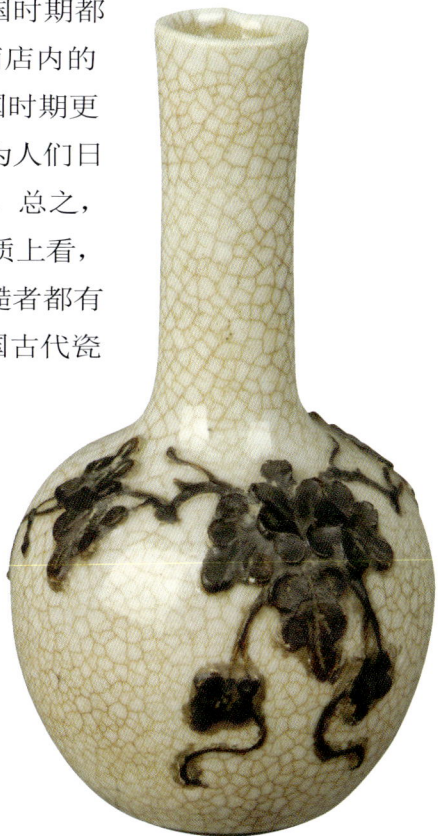

图 8-4 仿白釉画花风格贴花瓷瓶·明代

器发展的鼎盛期（图8-5），即使民窑瓷器，在工艺上也是极为尽心尽力，具有极高的研究、艺术价值；明清时期，整体工艺上有下降，但普通和精致者依然是主流；民国时期品质比较差，主要以普通和粗糙者为主。从体积上看，国有文物商店内的宋元和明清、民国时期的白釉画花瓷器在代销上基本相似，都是大小兼备。这是因为，虽然王朝几经更迭，但是白釉画花瓷器日用品的功能没有改变，所以在造型上也不会变化得特别大（图8-6）。从检测上看，各个时代的白釉画花瓷器通常都没有什么检测证书，行规就是凭借自己的眼力。因此，把玩鉴定要点是关键。不过文物商店内的白釉画花瓷器伪器很少，因为这事关国有文物商店的信誉和鉴定能力问题。

图8-5 通体施釉白釉画花瓷枕面·宋代

图8-6 白釉画花瓷器标本·宋元时期

二、大中型古玩市场

大、中型古玩市场是白釉画花瓷器销售的主战场（图8-7）。如北京的琉璃厂、潘家园等，以及郑州古玩城、兰州古玩城、武汉古玩城等都属于比较大的古玩市场，集中了很多白釉画花瓷器销售商。像北京报国寺古玩市场只能算作是中型的古玩市场。下面我们具体来看一下表8-2。

表8-2 大中型古玩市场白釉画花瓷品质状况

	时代	窑口	数量	品质	体积	检测	
白釉画花瓷	宋元	磁州窑	多见	精／普／粗	大小兼备	通常无	大中型古玩市场
	明清	磁州窑	多见	精／普／粗	大小兼备	通常无	
	民国	磁州窑	多见	精／普／粗	大小兼备	通常无	
	当代						

由表8-2可见，从时代上看，大中型古玩市场白釉画花瓷器宋元、明清、民国都有见（图8-8）。从窑系上看，白釉画花瓷器最早是由磁州窑创烧成功，流行非常之广，在宋代几乎是通销全国，因此许多窑场纷纷仿烧磁州窑白釉画花产品，逐渐形成了巨大的瓷窑体系。而且这种扩张跨越了王朝更迭的界限，辽金元、明清时期人们都在使用这种产品（图8-9），甚至民国和当代也是这样。因此，可以说磁州窑系的影响力直至今日依然在延续。从数量上看，宋元、明清、民国时期的白釉画花瓷器在大中型古玩市场内出现非常多（图8-10）。从品质上看，白釉画花瓷器在品质上各个时代都相似，精致、普通、粗糙者都有见。当然相比较而言以宋代烧造最为精致，工艺水平最高，精品力作频现。从体积上看，大中型市场内各个时代的白釉画花瓷器大小兼备（图8-11）。从检测上看，各个时代的白釉画花瓷器没有什么绝对的检测，主要还是以专家鉴定为主。

图8-7 精细化妆土白釉画花瓷器标本·宋代

图 8-8 磁州窑白釉画花瓷
碗标本·宋元时期

图 8-9 磁州窑黄白釉白釉画
花瓷器标本·明清时期

图 8-10 白釉画花
瓷器标本·宋代

图 8-11 仿白釉画花
风格贴花瓷瓶·明代

三、自发形成的古玩市场

这类市场三五户成群，大一点的几十户。这类市场不很稳定（图8-12），有时不停地换地方，但却是我们购买白釉画花瓷器的好地方。我们具体来看一下表8-3。

表8-3 自发形成的古玩市场白釉画花瓷品质状况

	时代	窑口	数量	品质	体积	检测	
白釉画花瓷	宋元	磁州窑	多见	精／普／粗	大小兼备	通常无	自发形成的古玩市场
	明清	磁州窑	多见	精／普／粗	大小兼备	通常无	
	民国	磁州窑	多见	精／普／粗	大小兼备	通常无	
	当代						

由表8-3可见，从时代上看，自发形成的古玩市场上的白釉画花瓷器各个时代都有见（图8-13），但是真伪难辨，需要有很高的鉴赏水平。从品种上看，自发形成的古玩市场上的白釉画花瓷器窑口基本都是属于磁州窑系统。从数量上看，宋元至民国时期都多见。从品质上看，精致、普通、粗糙者都有见，但主要以宋代最为精致（图8-14）。从体积上看，宋元、明清及民国的白釉画花瓷器大小兼备，这与其一直是老百姓家里的日常生活用具有关。从检测上看，这类自发形成的小市场上的瓷器多数没有经过专家长眼，基本上靠自己的鉴赏能力（图8-15）。

图8-12 白釉画花瓷器标本·宋代

图 8-14 白釉黑花瓷枕·宋代

图 8-13 施釉近足部白釉画花瓷器标本·宋代

图 8-15 瓷化程度高白釉画花瓷器标本·明代

四、大型展会

大型展会，如全国国有文物商店展会、工艺品展会、文博会等成为白釉画花瓷器销售的新市场（图 8-16），下面我们具体来看一下表 8-4。

表 8-4 大型展会白釉画花瓷品质状况

	时代	窑口	数量	品质	体积	检测	
白釉画花瓷	宋元	磁州窑	多见	精／普／粗	大小兼备	通常无	大型展会
	明清	磁州窑	多见	精／普／粗	大小兼备	通常无	
	民国	磁州窑	多见	精／普／粗	大小兼备	通常无	
	当代						

由表 8-4 可见，从时代上看，大型展会上的白釉画花瓷器主要以宋元、明清为主（图 8-17），民国亦有见。从窑口上看，大型展会白釉画花瓷器无一例外，均属磁州窑系统。从数量上看，无论哪个时代的白釉画花瓷器在数量上都比较多（图 8-18）。从品质上看，大型展会上的白釉画花瓷器在品质上可谓是精致、普通、粗糙者都有见。从体积上看，大型展会上的白釉画花瓷器在体积上大小不一（图 8-19），都是一些人们日常生活当中的用具。从检测上看，大型展会上的白釉画花瓷器不保证真伪，主要靠自己的鉴赏水平来判定。

图 8-16 弧鼓腹白釉画花瓷碗·宋代

图 8-17 白釉画花瓷器弦纹·宋代

图 8-18 白釉画花瓷器标本·明清时期

图 8-19 白釉画花瓷器弦纹·元代

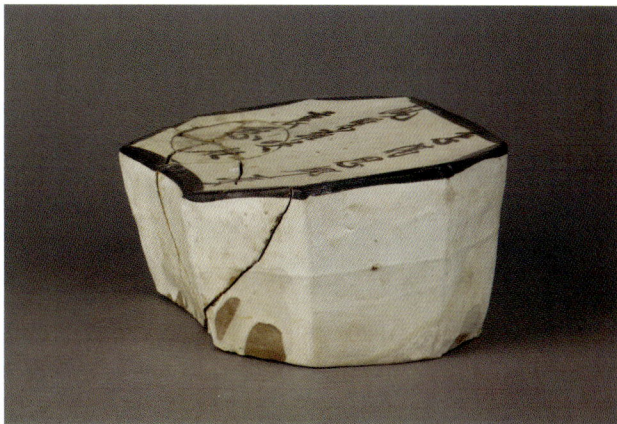

图 8-20 白釉画花瓷器诗文枕·宋代

五、网上淘宝

网上购物近些年来成为时尚，同样网上也可以购买白釉画花瓷器（图 8-20）。上网搜索会出现许多销售白釉画花瓷器的网站。下面我们来通过一个表格具体看一下表 8-5。

表 8-5 网上淘宝白釉画花瓷品质状况

	时代	窑口	数量	品质	体积	检测	
白釉画花瓷	宋元	磁州窑	多见	精／普／粗	大小兼备	通常无	网上淘宝
	明清	磁州窑	有见	精／普／粗	大小兼备	通常无	
	民国	磁州窑	有见	精／普／粗	大小兼备	通常无	
	当代						

由表 8-5 可见，从时代上看，网上淘宝可以通过搜素很便捷地买到各个时代的白釉画花瓷器（图 8-21），宋元、明清、民国时期都可以买到。从窑口上看，磁州窑及磁州窑系统的白釉画花瓷器作品都有见。从数量上看，各个时代的白釉画花瓷器在数量上相当，都是比较多见。从品质上看，宋元、明清、民国白釉画花瓷器在品质上都有精致、普通、粗糙三个层次（图 8-22），只是宋代精品较多，而明清及民国时期在精致程度上有所下降而已。从体积上看，各个时期的白釉画花瓷器在大小上随意性比较强（图 8-23），大小兼备。从检测上看，网上淘宝而来的白釉画花瓷器真伪难辨，完全依靠的自己的鉴赏水平。

图 8-22 磁州窑白釉画花瓷罐·辽代

图 8-21 磁州窑白釉画花瓷器·宋代

图 8-23 磁州窑白釉画花瓷器·宋代

六、拍卖行

白釉画花瓷器拍卖是拍卖行传统的业务之一，是我们淘宝的好地方（图 8-24）。具体我们来看一下表 8-6。

图 8-24 白釉画花罐·清代仿宋

表 8-6 拍卖行白釉画花瓷品质状况

	时代	窑口	数量	品质	体积	检测	
白釉画花瓷	宋元	磁州窑	多见	精／普／粗	大小兼备	通常无	拍卖行
	明清	磁州窑	有见	精／普／粗	大小兼备	通常无	
	民国	磁州窑	有见	精／普／粗	大小兼备	通常无	
	当代						

由表 8-6 可见，从时代上看，拍卖行拍卖的白釉画花瓷器各个历史时期的都有见，但主要以宋元时期的白釉画花瓷器为多（图 8-25）。从窑口上看，拍卖市场上的白釉画花瓷器多数窑口可以归入磁州窑，只是时代不同而已。从数量上看，古代白釉画花瓷器拍卖以明清时期为多见；宋元时期也有见，但数量不及明清时期，这与宋元时期传世品少有关。从品质上看，白釉画花瓷器精致、普通、粗糙者都有见，但精品主要以宋代为多见（图 8-26），其他时代精品力作数量有限。从体积上看，白釉画花瓷器在拍卖行出现的体积也是较为随意，大小器皿都有见（图 8-27）。从检测上看，拍卖场上的白釉画花瓷器主要以买家的鉴赏能力为判断标准，拍卖行只是一个平台，并不保真。

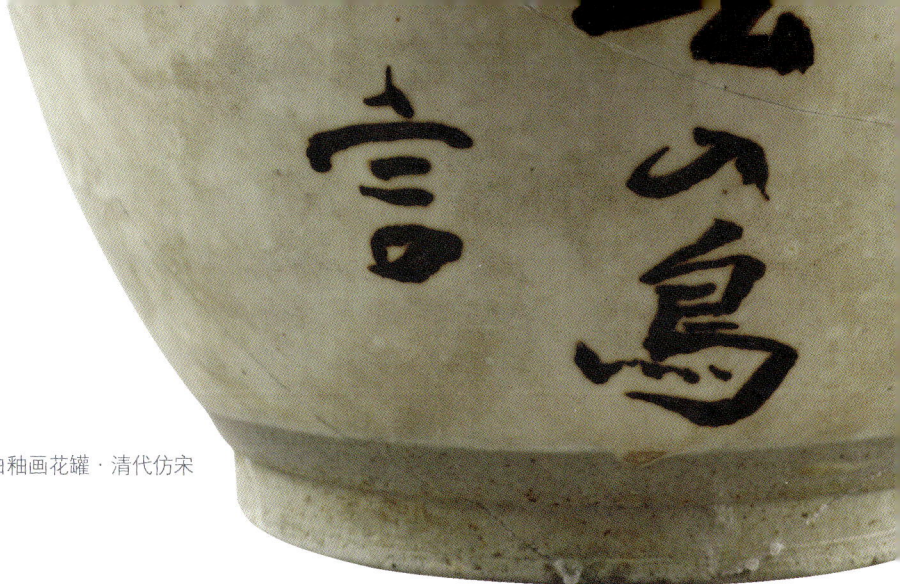

图 8-26 白釉画花罐·清代仿宋

图 8-25 白釉画花瓷器标本·元代

图 8-27 光泽淡雅雪白釉白釉
画花瓷器标本·宋代

七、典当行

典当行也是购买白釉画花瓷的好去处（图 8-28），典当行的特点是对来货把关比较严格，一般都是死当的白釉画花瓷作品才会被用来销售。具体我们来看一下表 8-7。

表 8-7　典当行白釉画花瓷品质状况

	时代	窑口	数量	品质	体积	检测	
白釉画花瓷	宋元	磁州窑	多见	精／普／粗	大小兼备	通常无	典当行
	明清	磁州窑	多见	精／普／粗	大小兼备	通常无	
	民国	磁州窑	多见	精／普／粗	大小兼备	通常无	
	当代						

由表 8-7 可见，从时代上看，典当行的白釉画花瓷器宋元、明清、民国多有见（图 8-29），以宋代为主。从窑口上看，典当行白釉画花瓷器的窑口主要是自宋代开启的磁州窑。我们知道磁州窑形成了巨大瓷窑体系，跨越时代，直至明清，甚至对于我们当代的瓷业还有影响。从数量上看，古代白釉画花瓷器的数量在典当行并不是太多，但也有一定的量，因为白釉画花瓷器毕竟是日用瓷，在当时数量太多（图 8-30）。从品质上看，典当行内的白釉画花瓷器精致者有见，主要以宋代为多见；普通瓷器各个时代都有见；粗糙者主要以清代和民国为多见。从体积上看，白釉画花瓷器在体积上特征很明确，大小不一，大小兼具（图 8-31）。从检测上看，典当行内的白釉画花瓷器一般没有检测证书，品级高低和真伪完全取决于购买者的鉴赏水平。

图 8-28　微有杂质白釉画花瓷器横截面标本·元明时期

图 8-31 仿白釉画花风格贴花瓷瓶·明代

图 8-30 白釉画花瓷器标本·明代

图 8-29 仿白釉画花风格贴花瓷盂·明代

图 8-32 白釉画花瓷器标本·宋代

第二节 评价格

一、市场参考价

白釉画花瓷器在价格上升值很快。数年前几十元的磁州窑白釉画花瓷器今日已攀升至数万元的高价（图 8-32）。举一个比价极端的例子，过去没有人要的极品的片状残瓷，现在优者可以卖到万元上下。原因是民窑瓷器画风活泼、奔放，来自于生活，具有浓郁的民间气息，毕竟能够同当代人们的思想达成共鸣，这是其不断升值的重要原因。但白釉画花瓷器在价格上总体还不是特别高，这与其民窑的性质关系密切（图 8-33）。白釉画花瓷器的参考价格比较复杂，下面让我们来看一下白釉画花瓷器主要的价格。但是，这个价格只是一个参考，因为本书所介绍的价格是已经抽象过的价格（图 8-34），是研究用的价格，实际上已经隐去了该行业的商业机密。如有雷同，纯属巧合，仅仅是给读者一个参考而已。

图 8-33 白釉画花瓷瓶·辽代

图 8-34 白釉画花瓷器劲草纹·宋代

宋 磁州窑白釉画花瓷玉壶春瓶：约 150000 ～ 180000 元。

宋 磁州窑白釉画花瓷高足杯：约 280000 ～ 380000 元。

宋 磁州窑白釉画花瓷梅瓶：约 160000 ～ 190000 元。

宋 磁州窑白釉画花瓷枕：约 1000 ～ 2000 元。

宋 磁州窑白釉画花瓷枕：约 3000 ～ 4000 元。

宋 磁州窑白釉画花瓷梅瓶：约 80000 ～ 90000 元。

宋 磁州窑白釉画花瓷罐：约 10000 ～ 120000 元。

宋 磁州窑白釉画花瓷"口口口口"四字瓶：约 5000 ～ 6000 元。

金 磁州窑白釉画花瓷梅瓶：约 2000 ～ 3000 元。

金 磁州窑白釉画花瓷罐：约 2000000 ～ 2800000 元。

金 磁州窑白釉画花瓷虎形枕：约 60000 ～ 80000 元。

金 磁州窑白釉画花瓷八角枕：约 60000 ～ 80000 元。

金 磁州窑白釉画花瓷花口瓶 ：约 10000 ～ 2000 元。

金 磁州窑白釉画花瓷梅瓶：约 2000 ～ 3000 元。

金 磁州窑白釉画花瓷梅瓶：约 2000 ～ 3000 元。

元 磁州窑白釉画花瓷罐：约 3000 ～ 5000 元。

元 磁州窑白釉画花瓷罐：约 8000 ～ 16000 元。

明 磁州窑白釉画黑花牡丹纹瓷盖罐：约 50000 ～ 80000 元。

明 磁州窑白釉画花瓷洗：约 2000 ～ 4000 元。

明 磁州窑白釉画花瓷梅瓶：约 4000 ～ 6000 元。

明 磁州窑白釉画花瓷瓶：约 10000 ～ 20000 元。

明 磁州窑白釉画花瓷壶 ：约 2000 ～ 4000 元。

明 磁州窑白釉画花瓷瓶：约 2000 ～ 3000 元。

明 磁州窑白釉画花瓷梅瓶：约 7000 ～ 9000 元。

清 磁州窑白釉画花瓷枕：约 2000 ～ 3000 元。

清 磁州窑白釉画花瓷瓶 ：约 3000 ～ 6000 元。

二、砍价技巧

砍价是一种技巧，但并不是根本性商业活动（图 8-35），它的目的就是在与对方讨论价格的过程中，找到对自己最有力的因素，抢锤砍价。不过，需要提醒的是，砍价只不过是技巧，并不是灵丹妙药。忽视白釉画花瓷器本身的品质并不可取。对于白釉画花瓷器的砍价主要有这几个方面：一是品相。品相是砍价的利器。白釉花瓷器在经历了岁月长河之后大多数不能完好幸存，特别是宋元时期的高古瓷器，今天能够来到我们面前的许多都有破损，所以品相对于白釉画花瓷器而言更具有重要意义。如果白釉画花瓷器能够完好无损（图 8-36）、品相极优，那么显然在价值上会加分，反之则成为砍价的依据。二是图案，白釉画花瓷器的图案纹饰是其灵魂。纹

图 8-35 仿白釉画花风格贴花瓷瓶·明代

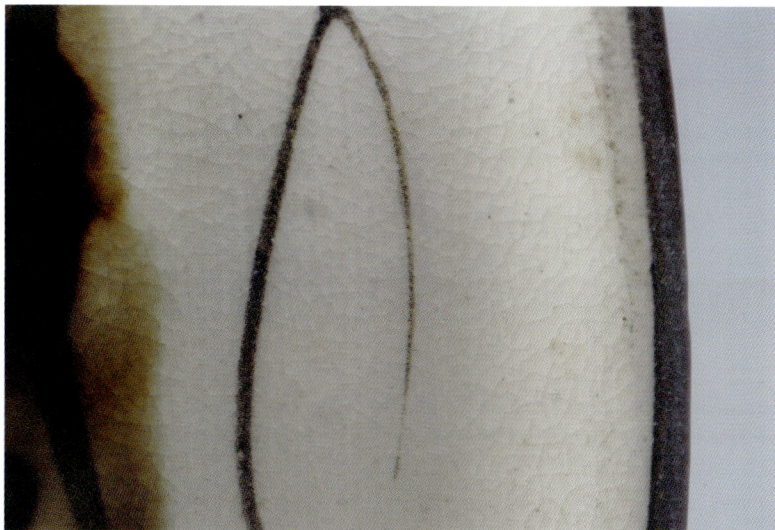

图 8-36
民间气氛浓郁白釉画
花瓷器标本·明代

样来自于民间，又高于民间，画风疏朗、燎原，写实性比较强，会给人以特殊的韵味（图8-37）。因此，白釉画花瓷器纹饰题材的复杂程度、构图合理程度、细条流畅性等都会成为价格砝码的重要因素，如果能够找到确凿的证据，则会在价格谈判上占尽先机。从精致程度上看，白釉画花瓷器的精致程度是一个综合性的判断标准，同样可以分为精致、普通、粗瓷等三类。将自己要购买的瓷器归入这三个类别，自然也能够成为砍价的利器（图8-38）。总之，白釉画花瓷器的砍价技巧涉及时代、造型、窑口、纹饰等诸多方面，从中找出缺陷，必将成为砍价利器。

图8-37 浓淡层次分明白釉画花瓷器带条纹·宋代

图8-38 白釉画花瓷器标本·元明时期

图 8-39 线条刚劲白釉画花瓷器花卉纹标本 · 宋代

第三节　懂保养

一、清　洗

　　清洗是收藏到瓷器之后很多人要进行的一项工作（图 8-39），目的就是要把瓷器表面及其断裂面的灰土和污垢清除干净。在清洗的过程当中，首先要保护白釉画花瓷器不受到伤害。首先观察白釉画花瓷器胎釉结合情况，如没有剥釉现象，就可以采用直接入水法来进行清洗，但不要将白釉画花瓷器直接放到自来水中清洗。自来水中的多种有害物质会使瓷器釉面受到伤害。通常应将其放入纯净水中进行清洗，待到土蚀完全溶解后，再用棉球将其擦拭干净。遇到未清洗干净的瓷器，可以用牛角刀进行试探性的剔除。如果还未洗净，请送交文物专业修复机构进行处理（图 8-40）。千万不要强行剔除，以免伤及釉面。

图 8-40 磁州窑胎色基本稳定
白釉画花瓷器标本 · 宋代

二、修 复

　　许多白釉画花瓷器需要修复（图8-41），修复的内容主要包括拼接和配补两部分。拼接就是用黏合剂把破碎的白釉画花瓷器片重新黏合起来。拼接工作十分复杂，有时想把它们重新黏合起来也十分困难。一般情况下，主要是根据共同点进行组合。如根据碎片的形状、花纹、色彩等特点，逐块进行拼对（图8-42），之后再进行调整。配补是修复的最后一个步骤，就是把损坏后不存在的部位，恢复到原来的形状。配补的方法很多，主要有填补、模补。一般情况下，残缺面积很小的部位，直接拿一块麻布进行填补后，再进行休整就可以了。而残损比较严重的情况就必须进行模补、休整。经过配补而形成的白釉画花瓷器，表面非常粗燥，可以说是坑凹不平。因此就需要对修补材料，特别是用石膏进行修补的表面进行修整。经过修整后的石膏表面基本平整（图8-43）。之后再用木砂纸等进行打磨，这样，整个修复过程才可以说是完成了。

图 8-41 暗红胎白釉画花瓷器横截面·宋代

图 8-42 施精细化妆土白釉画花瓷器标本·元明时期

图 8-43 白釉画花罐·清代仿宋

三、养 护

1. 加 固

有相当一部分白釉画花瓷器是用石膏修复的，而石膏的机械强度极低，很容易破碎，所以需要对石膏进行加固（图 8-44），使石膏的强度增大，质地坚硬。具体操作方法是把环氧树脂混合液同乙醇按 1：1 的比例混合后，用毛笔均匀地涂敷在石膏面上。利用乙醇把强度极大的永久性黏合剂环氧树脂混合液带进石膏内。这时的石膏面就会变得异常坚硬，不易破碎。但这种加固并不是一劳永逸的，而是需要过一段时间后再进行一次，不然有可能就会裂开。

图 8-44 白釉画花瓷器标本·宋代

2. 相对温度

白釉画花瓷器保养的室内温度也很重要，特别是对于经过修复复原的白釉画花瓷器温度尤为重要（图 8-45）。因为，一般情况下黏合剂都有其温度的最适界限，如果超出就很容易出现黏合不紧密的现象。如热溶胶的溶解温度在 55℃ 左右，如果高出这个温度可能就要出问题。但一般情况下都不会高出这个温度，我们在保存时注意就可以了。

图 8-45 白釉画花瓷器标本·明代

3. 相对湿度

白釉画花瓷器在相对湿度上一般应保持在 50% 左右（图 8-46）。如果相对湿度过大，一些受过伤的胎体就会受到水的侵袭，水会沿着哪怕是再微小的裂缝进入到瓷器体内。如果温度下降至零摄氏度以下，就会产生巨大张力，从而导致修复过的地方开裂，或是其他不可想象的严重后果。

图 8-46 外撇较甚白釉画花瓷器·金代

4.存　放

白釉画花瓷器的存放要放置在震动小的地方（图8-47）。如火车道旁就不适宜长期放置白釉画花瓷器文物真品。因为，虽然震动不至于立刻使其开裂，但日积月累以防万一。最好是像文物库房那样，将器物放置在架子上，而不是放置在柜子中。因为柜子开拉门的时候会产生一定的晃动。对于圜底器物的处理要稳妥，一般情况下要做一个专门的支架进行放置。总之，对于放置，我们应该谨慎。主要以"不晃动""不磕碰"等为基本原则。

图8-47 图案清晰稀薄釉白釉画花瓷器标本·明代

5.日常维护

收藏到白釉画花瓷器第一步是进行测量（图8-48），对白釉画花瓷器的长度、高度、厚度等有效数据进行测量。目的很明确，就是对白釉画花瓷器进行研究，以及防止被盗或是被调换。第二步是进行拍照，如正视图、俯视图和侧视图等，给白釉画花瓷保留一个完整的影像资料。第三步是建卡，白釉画花瓷器收藏当中，很多机构，如博物馆等，通常给白釉画花瓷器建立卡片，卡片上登载名称，包括原来的名字和现在的名字，以及规范的名称；其次是年代，就是这件瓷器的制造年代、考古学年代；还有质地、功能、工艺技法、形态特征等的详细文字描述。这样我们就记录了古代白釉画花瓷器最基本的特征。第四步是建账。机构收藏的白釉画花瓷器，如博物馆通常在测量、拍照、卡片、包括绘图等完成以后，还需要入国家财产总登记账，和分类账。两种均一式一份，不能复制，主要内容是将文物编号，有总登记号、名称、年代、质地、数量、尺寸、级别、完残程度，以及入藏日期等（图8-49）。总登记账要求有电子和纸质两种，是文物的基本账册。藏品分类账也是由总登记号、分类号、名称、年代、质地等组成，以备查阅。第五是防止磕碰。在白釉画花瓷器的保养上，防止磕碰是一项很重要的工作。瓷器容易摔裂，运输需要独立包装，避免碰撞。

图 8-49 白釉黑花瓷枕·宋代

图 8-48 白釉画花瓷器标本·宋代

图 8-50 磁州窑白釉画花瓷器标本·宋元时期

第四节 市场趋势

一、价值判断

价值判断就是评判价值（图8-50）。我们作了很多的工作，所要得到的结果就是评判价值，这实际上就是鉴定的结论。在评判价值的过程中，也许一件瓷器有很多的价值，但一般来讲，我们要说出白釉画花瓷器的三大价值，既古瓷器的研究价值、艺术价值、经济价值。当然，这三大价值是建立在我们以上所做的诸多鉴定要点之上的。研究价值主要是指在科研的上的价值（图8-51）。如填补了一个科学上的空白，或发现了一件瓷器推翻了一个结论等，这些都是研究价值的具体体现。但是，在实际的鉴定中，从大多数的白釉画花瓷器上所得出的结论都是一些普通的结论，没有什么重大的考古大发现（图8-52）。即便如此，每一件古瓷器仍有其自身的价值所在。所以，在鉴定中我们一定要评判出古瓷器的研究价值。而

图 8-51 白釉画花罐·清代仿宋

图 8-52 白釉画花罐·清代仿宋

艺术价值就更为复杂。如白釉画花瓷器的造型艺术、纹饰，以及书法艺术等，都是同时代艺术水平和思想观念的体现。特别是一些精品瓷器更具有较高的艺术价值，而我们鉴定的目的之一就是要挖掘这些艺术价值（图8-53）。另外，白釉画花瓷器具有很高的经济价值，特别是一些精品古瓷器的价值就更高了。当今社会，古瓷器的经济价值有一个相当重要的特点，就是基本上都是以价格的形式来实现的。所以，我们在欣赏完一件白釉画花瓷器之后，要根据其市场上一般的行情，再结合以前拍卖的记录，给出一个可参考的价格，以及收藏后升值空间有多大（图8-54）。以上是古瓷器市场趋势预测的全过程。价值判断的方法有很多，但在内容上基本都相似，以上仅仅供读者参考。

图 8-53 磁州窑黑白分明生活气息浓郁的白釉画花瓷器·宋代

图 8-54 装饰性较强的白釉画花瓷器标本·宋代

图 8-56 釉质稠密雪白釉白釉画花瓷器标本·宋代

二、保值与升值

　　白釉画花瓷器在我国有着悠久的历史，在宋元时期就使用白釉画花瓷，明清以来，民国和当代都有少量使用（图 8-55）。从历史上看，白釉画花瓷器是一种盛世的收藏品。在战争和动荡的年代，人们对于白釉画花瓷器的追求夙愿便会降低，起码从价格上是这样。而盛世人们对于白釉画花瓷器的情结就会高涨，白釉画花瓷器会受到人们追捧，很多人们听起来不太熟悉的白釉画花瓷器都会成为热点，以宋代磁州窑为最盛。近些年来，股市低迷、楼市不稳有所加剧，越来越多的人把目光投向了白釉画花瓷器的收藏市场。在这种背景之下，白釉画花瓷器与资本结缘（图 8-56），成为资本追逐的对象，高品质的白釉画花瓷器价格扶摇直上，升值达数十上百倍。而且这一趋势依然在迅猛发展。

图 8-55 白釉画花罐·清代仿宋

图 8-57 圆唇白釉画花瓷器·明代

从品质上看，白釉画花瓷器对品质的追求是永恒的。白釉画花瓷器并非没有瑕疵，但人们对于白釉画花瓷器的追求，并非是追求其严谨的一面（图 8-57），而是追求其画风燎原，切近生活，浓郁的生活气息的一面。普通的白釉画花瓷几乎都有品质问题，只有高品质的白釉画花瓷器才具有稀有性，才具有保值与升值的潜力。

从数量上看，对于白釉画花瓷器而言已是不可再生（图 8-58）。历史已经过去，不可能再回去。因此，白釉画花瓷器的数量极为稀少，而白釉画花瓷器中的高品质瓷器的产量更是有限，所以白釉画花瓷器具备了"物以稀为贵"的商品属性，具有保值、升值的强大功能。

图 8-58 仿白釉画花风格贴花瓷瓶·明代

从消耗上看，白釉画花瓷器的消费特别大（图 8-59），越是好的白釉画花瓷器消费量越大，被藏家收藏，几乎是只进不出。白釉画花瓷器以这种方式被不断消耗，而另外一方面是白釉画花瓷器不可再生，所以供不应求的局面就会形成，且长期存在。这会使得白釉画花瓷器"物以稀为贵"（图 8-60），而这些会在白釉画花瓷器的价格上显示出来。

白釉画花瓷器目前已经十分珍稀，其价格与 20 年前相比已翻了数十倍，最普通品质的白釉画花瓷目前已是价格不菲。如果是顶级的白釉画花瓷器的价格可以说是十分贵重。总之，人们对白釉画花瓷器趋之若鹜，必将导致稀缺性进的一步增加（图 8-61），白釉画花瓷器的保值、升值必将成为趋势。

图 8-61 仿白釉画花风格贴花瓷瓶·明代

图 8-59 白釉画花瓷器标本·元明时期

图 8-60 白釉画花瓷碗（三维复原色彩图）·宋代

参考文献

[1] 明曹昭 . 格古要论 .

[2] 南京市博物馆 , 雨花台区文化局 . 江苏南京市戚家山明墓发掘简报 [J]. 考古 ,1999 (10) .

[3] 姚江波 . 五招鉴定宋元名瓷 [M]. 上海 : 上海科学技术文献出版社 ,2010.

[4] 姚江波 . 中国古代瓷器鉴定 [M]. 长沙 : 湖南美术出版社 ,2009.